CW01064353

GWREIDDIO

GWREIDDIO

Straeon byrion
am fyw
yn y wlad

sebra

Cyhoeddwyd yng Nghymru yn 2023 gan Sebra,
un o frandiau Atebol, Adeiladau'r Fagwyr,
Llanfihangel Genau'r Glyn, Aberystwyth, Ceredigion SY24 5AQ

ISBN : 978-1-835390-01-6

Dyluniwyd gan Almon

Golygwyd gan Adran Olygyddol Cyngor Llyfrau Cymru

sebra.cymru

Dymuna'r cyhoeddwr gydnabod cymorth ariannol
Cyngor Llyfrau Cymru

Argraffwyd yng Nghymru

Rhybudd: iaith gref

Er gwaethaf y ffurfafen gymylog
    mae haul yn ein hwybren,
a glaw yn treiddio'r gleien
yn ddwfn fel ein gwreiddiau hen.

Detholiad o 'Dyfodol' gan Hywel Griffiths
(i ddathlu 70 mlwyddiant Clybiau Ffermwyr Ifanc Sir Gâr)

CYNNWYS

DAEAR.................................1
HAF LLEWELYN

AT FY NGHOED 14
MEGAN ELENID DAVIES

FOR SALE – LAND.................25
HEIDDWEN TOMOS

COED AFALAU 34
BETHAN GWANAS

CAE CLATSIO 46
GERAINT LEWIS

YN Y FAN A'R LLE.................62
ELEN HANNAH DAVIES

Y GRAIG LWYD 79
JOHN ROBERTS

CYFAMOD 96
LLŶR TITUS

DAEAR

HAF LLEWELYN

'Ers talwm, fasan ni ddim wedi meddwl ddwywaith, dim ond gyrru daeargi i lawr.' Dyma Dad yn estyn am y coffi roedd Mam wedi ei osod o'i flaen. 'Yn basan, 'Nhad? Gyrru daeargi i lawr,' gan ailadrodd yn uwch er mwyn i Taid ei glywed.

'Daeargi mawr?' Mae Taid yn codi ei ben. 'Doedd gen i ddim daeargi mawr, 'sti Dafi, yr hen Monti oedd y boi, yndê, ti'n ei gofio fo, yn dwyt? Mi roedd o gyflymad â wipet, yn doedd – patshys brown ar ei lygaid o.'

Am eiliad, dwi'n dal llygaid Mam ac mae yna rybudd ynddyn nhw. *Paid â dweud dim byd am y moch daear heddiw.*

''Esu, 'sa chi'n gweld y llanast mae'r bajars 'di'i 'neud yn y caea top – tyllu dan y ffens.' Mae Taid yn edrych ar Dad, yn trio dilyn trywydd y sgwrs. 'Yn y caea top, wrth giât Beudy Coed,' ychwanega Dad gan godi ei lais a phwyntio at y ffenest.

'Ydyn – maen nhw wrthi 'rioed.' Taid eto, ac mae o'n slyrpian ei goffi trwy laeth.

'Tasa'r bobl bywyd gwyllt 'na – pobl fel hipis Ffridd-goch – yn gweld y llanast maen nhw'n 'neud, yna fasan nhw ddim mor barod i godi twrw.'

'I be symudi di'r tarw heddiw, Dafi?' Taid, a'r sgwrs wedi'i ddrysu. Diolch byth bod Mam â'i chefn ata i, yn dechrau plicio tatws at ginio. Dwi'n gallu gweld ei sgwyddau hi'n jyrian a dwi'n gwybod ei bod hi'n mygu eisiau chwerthin.

'Dwi ddim am symud y tarw, 'Nhad. Deud o'n i fod y bobl natur yna'n codi *twrw.*'

'O, deud ti.'

'Dwi jest â gofyn i Wil a ddaw o draw efo'r cŵn, 'chi 'Nhad. Tyllu dipyn ar y ddaear a gyrru'r cŵn i mewn.'

Ac mae Mam yn troi – taten mewn un llaw a'r pariwr yn y llall.

'Na, Dafi, paid â bod yn hurt.'

'Fasa neb ddim callach, siŵr. Mae pobl Ffridd-goch yn mynd i ffwrdd cyn bo hir, tydyn? Fory, ia Megs?' Mae Dad yn codi ac yn gadael y mŵg ar y bwrdd. 'Pryd maen nhw'n mynd i ffwrdd, Megan?'

'Be wn i,' ateba Mam.

'Wel, siawns y medrwn ni gael gwarad o'r bajars tra maen nhw ar eu holides. Fasa neb ddim callach wedyn.'

'Hy!' Mae Mam yn taflu'r daten at y lleill i'r sosban, ac mae'r dŵr yn tasgu dros y llawr.

'Ffonia i Wil heno.'

Mae Dad yn tynnu ei ffôn o'i boced ac yn syllu arni, fel tasa fo'n disgwyl i Wil ymddangos fel hud a lledrith ar y sgrin. Dim ond ers y Dolig mae Dad wedi cael ffôn glyfar, ac mae o wedi gwirioni efo hi. Mae'n sgrolio trwy'r lluniau nes iddo ddod o hyd i'r llun mae o eisiau.

'Sbïwch, 'Nhad.' Mae o'n codi'r sgrin at drwyn Taid ac mae hwnnw'n craffu.

'Be 'dio, Dafi?' Mi wn i mai llun o'r *triplets* sy' ar y sgrin. Mae ffôn Dad yn llawn o luniau ŵyn, bustych newydd eu gollwng allan a thractors.

'Yn y sied bore 'ma – ŵyn cryfion.'

Mae Taid yn gwenu.

'Ewadd, ŵyn cryfion, Dafi.'

Mae ei lygaid yn iawn, beth bynnag am ei glyw.

'Ty'd â dy gwpan i'r sinc, Dafi.' Mam, ac mae ei llais yn bigog.

Mae Dad yn troi yn ei ôl yn y drws ac yn codi'r mŵg a'i roi yn y sinc. Mae o'n aros am funud ac yn edrych ar gefn Mam achos mae hi'n dal i ymosod ar y tatws.

'Diolch am y banad, Megs,' mentra, ond tydi Mam ddim yn troi, ac mae Dad yn cau'r drws ar ei ôl yn ddistaw.

'Pryd maen nhw'n mynd i ffwrdd, Cai? Teulu Ffridd-goch?' mae hi'n gofyn wrth roi'r daten olaf yn y sosban, ac yn codi'r plicion sydd yn y papur newydd.

'Maen nhw 'di mynd bore 'ma, 'swn i'n deud,

achos mae Sam newydd roi snap i fyny yn dangos y car 'di'i bacio.'

'Be 'nawn ni, dwed? Peidio deud, ia?'

'Ia,' cytunaf. Mae hi'n troi i fynd â'r plicion i'r bwced compost cyn tynnu ei ffedog.

'Dwi'n mynd i newid. Mae'r tatws yn barod i'w berwi, ham yn y ffrij a ti'n gwybod lle mae'r wyau.' Mae hi ar frys. 'O, ia, os ffonith Ffion, cofia ddeud wrthi fod croeso iddi ddod i ginio dydd Sul.' Gwena wedyn – un o'r gwenau hynny fydd hi'n eu rhoi wrth sôn am Ffion. Gwên fach gam a'i phen ar dro, cyn ychwanegu, 'Diolch, Cai.'

'Ydi Ffion adre?' Mae Taid yn codi fel tasa fo am fynd i chwilio amdani.

'Nachdi, Taid.'

'Pryd ddaw hi adra, Cai?'

'Dwn 'im.'

Mi fydd Mam wedi newid a mynd am ei gwaith cyn y daw Dad 'nôl i'r tŷ i gael ei ginio.

❊   ❊   ❊

Dwi ddim yn siŵr pryd y newidiodd pethau. Ond mae rhywbeth wedi newid. Rhwng Dad a fi.

Un tro, amser maith yn ôl, roedd 'na fachgen bach oedd wedi gwirioni efo tractorau. 'Tractoooor' oedd ei air cyntaf. Byddai'n cyffroi'n lân bob tro y gwelai dractor – ar deledu, mewn llyfr, wrth fynd yn y car, pan gâi fynd gyda'i dad i fferm Taid. A phob Gorffennaf byddai ymweliad â'r Sioe Fawr yn golygu anelu'n syth am y tractorau coch, sgleiniog. Byddai ei dad yn siŵr o brynu tegan arbennig iddo cyn gadael am adre – unrhyw beth cyn belled â bod iddo olwynion mawr a chab ...

Ie – dyna fi. Ffion fy chwaer ysgrifennodd bortread ohonof unwaith. Mae'r portread gen i o hyd mewn bocs yn y parlwr, efo'r teganau sioe. Ond tydi Ffion ddim yn dod adre'n aml bellach. A'r tro diwethaf y bu hi adre, mi welodd 'mod i wedi cadw'r portread, ac mi edrychodd yn od arna i.

'Does dim rhaid i ti fod fel yna, cofia,' meddai hi. 'Mi sgwennais i hynny amdanat ti flynyddoedd yn ôl, Cai.'

'Dwi'n dal i licio tractors. Tractoooor!' meddwn innau, a rhoddodd bwniad chwareus i mi.

'Be wnei di?'

'Dwn 'im.'

'Wyt ti am aros adra i ffarmio efo Dad?'

'Ella. I fama dwi'n perthyn, yndê? Ond dwi ddim wir 'di penderfynu eto, 'sdi. Liciwn i fynd i ffwrdd am 'chydig.' Nodio wnaeth hi wedyn a gwisgo ei chôt a dyma fi'n gofyn, 'Lle ti'n mynd?'

'Piciad i Ffridd-goch. Fydda i ddim yn hir – dwi 'di addo wrth Sam y baswn i'n galw.'

'Ddeuda i ddim gair.'

Chwerthin wnaeth hi wedyn. 'Mi gei di ddeud, Cai, 'dio ddim bwys gen i, 'sdi, geith Dad feddwl be licith o.'

Ond helynt gawson ni. Mi wyddwn i mai felly y byddai pethau achos dydi Ffion ddim yn gallu peidio. Roedden ni wedi gorffen ein swper a Mam wedi llwytho'r peiriant golchi llestri ac wrthi'n clirio pan gyrhaeddodd Ffion yn ei hôl.

'Lle buest ti, Ffi? Am dro? Mi fasa Anti Olwen yn licio dy weld di, fuest ti heibio Tir Dail?' Dad oedd yn holi.

'Naddo, Dad.'

'Ella y cei di gyfle i fynd fory?'

'Ella.'

'Maen nhw ar binnau yno braidd, rhywbeth 'di dangos ar y profion T.B. o'r lladd-dy. Lle buest ti, felly?'

'Yn Ffridd-goch.'

Ddywedodd neb ddim byd am sbel wedyn. Roedd y distawrwydd yn gyrru gwich trwy 'mhen i. Dim sŵn sgwrsio, dim ond sŵn chwyrnu ysgafn Taid, a Dad yn fflicio trwy'r sianeli teledu. Mam yn dal i gadw'r bwyd a chlirio'r dillad o'r hors uwchben yr Aga.

'Oes yna neb yn dy helpu di, Mam?' meddai Ffion wedyn, a dwi'n gwybod bod pethau am fynd yn flêr.

'Does dim isio, Ffion, dwi'n gallu g'neud yn iawn.' Mae Mam yn gwybod hefyd, ond fel bob amser, yn ceisio'i gorau i gadw'r ddysgl yn wastad, i geisio cael pawb i gyd-dynnu.

Neidiodd Dad ar ei draed, a dechrau casglu'r mygiau oedd ar ôl i'w golchi, gan eu gosod efo'r tebot, y bowlen siwgr a'r jwg llaeth ar yr hambwrdd i'w cario i'r sinc. Doedd neb am ei gyhuddo o beidio helpu.

'Dwi'n gwybod dy fod ti'n medru g'neud, ond pam mai chdi sy'n *gorfod* g'neud, Mam? Ti 'di blino cymaint â'r ddau yma, achos ti 'di bod yn dy waith trwy'r pnawn.'

'Dwi'n iawn.' Roedd bochau Mam yn fflamgoch a fedrwn i ddim meddwl beth i'w wneud. Taswn inna'n codi i helpu hefyd, mi fydden ni'n baglu dros ein gilydd rhwng y sinc a'r Aga.

A dyna pryd y digwyddodd y gyflafan. Trodd Dad i godi'r hambwrdd a rhywsut baglodd ar draws ffon Taid nes gyrru'r hambwrdd a'r mygiau, y llaeth a'r siwgr o'i ddwylo. Ymddangosodd popeth fel ffilm wedi ei harafu, gan godi'n araf, araf i fyny, fyny, cyn dod yn ôl i lawr, lawr, yn ddiferion llaeth, yn ronynnau siwgr a stremps te i ganol y fasged llawn dillad glân roedd Mam newydd eu plygu'n daclus.

Aeth Mam i'w gwely, gyda'r esgus ei bod hi angen cychwyn i'w gwaith yn gynnar y diwrnod wedyn. Daeth y newyddion ymlaen ac eisteddodd Dad i'w wylio. Cododd Taid hefyd – roedd o am fynd i ollwng Fflei, yr ast ddefaid, cyn noswylio. Cydiodd yn ei ffon ac aeth allan.

Meddyliais innau y byddai dro bach cyn gwely'n gwneud lles, felly, cydiais yn y lamp ac anelu am y drws cefn.

'Mi ddo i efo chdi,' meddai Ffion.

Roedd hi'n noson dawel, y lleuad yn dod i'r golwg yn sydyn, gan luchio'i goleuni dros y ffriddoedd a phennau'r coed. I lawr yn y cwm gallwn weld goleuadau ambell gar unig yn pellhau, yn gyrru oddi yma ar frys. Tybed oedd yna rywun fel fi yn gyrru? Rhywun fel fi a fyddai – taswn i'n penderfynu gadael – yn gorfod rhoi 'nhroed i lawr cyn i mi newid fy meddwl, a methu symud cam o'r lle 'ma?

'Ty'd, dwi isio dangos rhywbeth i ti,' meddai Ffion gan droi ei hwyneb tua'r coed. Gallwn weld ei llygaid yn gwenu, ei cheg yn llinell benderfynol. Un felly fu hi erioed. Yn wyllt fel y ffriddoedd, yn herfeiddiol. Fyddai Ffion byth yn derbyn dim – dim ond cwestiynu popeth, holi, dadlau, herio – hyd nes i'r cwbl ffurfio'n geunant rhyngddi hi a Dad. Gyda phob ymweliad adre, byddai curiad cyson y dadlau rhyngddyn nhw'n dyfnhau'r ceunant, nes na fedrwn weld, rhywsut, fod ffordd i'w gau yn ôl. A Mam a minnau'n cael ein dal yn ceisio camu'n betrus ar y bont dros eu ffraeo nhw.

'Ty'd, mae hi'n olau lleuad, felly mi ddylen ni fedru'u gweld nhw.'

Dilynais hi, ar draws y ffridd a thua'r goedwig, trwy giât Beudy Coed, ac rydyn ni rhwng y boncyff, y coed bedw a'u rhisgl yn dal llwydni'r lleuad, y coed deri'n dywyll a thrwm, a'r mieri'n cydio'n ein fferau.

Trodd Ffion gan roi ei bys ar ei gwefusau. Rydyn ni'n dau'n distewi. Mae Ffion yn codi ymyl ei chôt fel nad oes dim sŵn wrth i'r defnydd lusgo trwy'r brwgaitsh, dim ond ambell glec fechan wrth i frigyn blygu o dan ein traed. Yna rydyn ni'n camu dros wreiddiau a boncyffion nes dod i'r llannerch. Gwna Ffion arwydd arna i i fynd i lawr ar fy nghwrcwd ac rydyn ni'n dau'n gwthio i guddfan rhwng dau foncyff praff. Daw'r lleuad allan eto gan chwarae mig rhwng y brigau, y goedwig yn trawsnewid, yn olygfa llawn sgerbydau gwynion, neu'n dywyll eto, ein llygaid yn cael gwaith cynefino.

Rydyn ni'n llonyddu, yn aros, yn gwylio. Ac yna maen nhw yno. Yn araf ofalus i ddechrau, maen nhw'n ymddangos fel rhith yng nghanol y coed. Yna mae'r rhith yn sadio, yn ffurfio'n siapiau solat, pendant. Ac mae'r lleuad yn taflu ei goleuni eto, yn ddisglair ar y marciau gwynion, yn creu fflachiadau, yn dilyn y symudiadau chwareus, ac maen nhw'n dod allan i chwarae gan neidio a phwnio ei gilydd, yn snwyrian trwy'r dail, yn tyrchu, yn rhowlio, yn rhoi gwib, yn aros, yn codi i synhwyro'r awyr, yn craffu i'r tywyllwch, yn ysgwyd y llwch oddi ar eu ffwr.

Ac yna, maen nhw'n diflannu 'nôl i'r tywyllwch – mor gyflym, fel nad ydw i'n gwybod yn iawn a fuon nhw yno o gwbl. Dwi'n rhwbio fy llygaid fel plentyn bach ar fin deffro. Mae Ffion yn troi ata i, ac yng ngolau'r lleuad dwi'n gweld y dagrau'n ddisglair yn ei llygaid.

Yn ofalus a thawel, fel meirw byw, rydyn ni'n ailymuno â'n llwybr 'nôl rhwng y boncyffion a'r gwreiddiau, nes cyrraedd giât Beudy Coed. Rydyn ni allan eto ar y ffridd, ac mae Ffion yn aros.

'Addo i mi, Cai, na wnei di adael i ddim byd ddigwydd iddyn nhw.' Mae ei llais hi'n llai herfeiddiol rŵan. Does dim ond addfwynder yno, ymbil tawel, taer.

Rydyn ni'n dilyn y llwybr i lawr rhwng y llwyni eithin, yn croesi'r ffos ar waelod y ffridd heb yngan gair. Ac yna rydyn ni 'nôl ar y buarth – y gwartheg yn synhwyro bod rhywun yn crwydro yno, yn rhoi ambell fref – a draw dros bennau'r coed mae tylluan yn galw.

Daw Fflei ar ras i'n croesawu. Mae Taid yn sefyll gan bwyso ar y llidiart bach rhwng y tŷ a'r buarth, ei lygaid yn craffu.

'Ddaethon nhw?' mae'n gofyn.

'Be, Taid?'

'Ddaethon nhw i'ch gweld chi?'

'Pwy?'

'Ddaeth y moch daear allan i chwarae?'

Mae Ffion yn ochneidio ac yn mynd i gydio yn ei fraich.

'Sut y gwyddoch chi am y moch daear, Taid?' Mae hi'n edrych arno ac mae yntau'n gwenu.

'Maen nhw yno erioed, 'mach i.' Mae'n codi ymyl ei gap ac yn edrych draw tua'r coed. 'Mae yna ddaearydd yn y fan acw cyn i mi gael fy ngeni, wsti, ac mi fydd yna ddaearydd acw ymhell ar ôl i mi fynd i'r pridd. Mae'n ymestyn ymhell, bell o dan y coed – yn gwau rhwng gwreiddiau'r deri, ac mae'r moch daear yn deall, yn gwybod pan fydd perygl, ti'n gweld. Chaiff yr un daeargi'r gorau ar foch daear Beudy Coed. Wnân nhw ddim byd ond twrio'n is ac yn ddyfnach, dal eu tir, magu'r rhai bach a goroesi.'

'Ydych chi'n meddwl y medran nhw, Taid?' Mae llais Ffion yn daer, ac mae Taid yn chwilio am ei llaw hi.

'Dwi'n cofio 'nhaid i'n deud unwaith y byddai'n rhaid i'r coed ddiflannu cyn y collwn ni'r broch o fan yna. Maen nhw'n un â'i gilydd, ti'n gweld, maen nhw'n un â gwreiddiau'r deri a'r bedw, y criafol a'r ynn. Tra bydd yna goed wedi'u gwreiddio'n ddwfn yn y ddaear yn y fan acw, mi fydd yna hefyd foch daear.'

'Ond beth am Anti Olwen a'r gwartheg?' dwi'n gofyn.

'Rhaid i ni ddysgu cyd-fyw, rhywsut, dyna i gyd. Wn i ddim sut, ond cyd-fyw mae pob dim yn y diwedd, 'sti. Cyd-fyw wnaeth ein cyndeidiau ni ar hyd y blynyddoedd, a chyd-fyw fydd raid i ninnau. Mae'r hen ddaear 'ma'n gynefin i fwy na jest ni, yn tydi.'

❋   ❋   ❋

Dod 'nôl o'r sied wnes i, wedi anghofio mynd â fflasg allan efo fi ac mae hi'n noson dawel, fawr o ddim yn digwydd heno. Mae Mam 'nôl o'i gwaith, wedi gorffen ei shifft. Mi fydd wedi blino, ond mae Dad yn dal ar ei draed. Dwi ddim am fynd i mewn yn syth; dwi'n aros i dynnu fy sgidia budron yn y gegin gefn.

'Shifft yn iawn?' ac mae Dad yn codi i wneud paned wrth i Mam setlo ar y soffa.

'Iawn. Pob dim yn iawn yn fama? Taid yn ei wely?'

'Ydy, ers meityn.' Estynnodd Dad y mŵg o'r cwpwrdd. 'Tisio rwbath i f'yta? Mae sbarion cinio yn y ffrij.'

Yna dyma fo'n ychwanegu'n dyner, 'Mi ffoniodd Ffion.' Tawelwch, ac mi wn i fod Mam yn dal ei gwynt. 'Mae hi am ddod adre dydd Sul.'

'Da.' Dyna i gyd.

Yna mae ffôn Dad yn canu ac mae'n rhuthro i'w hateb. O'r atebion a thôn llais Dad mi fedra i ddweud mai Wil sy' yna. Mae Mam yn codi ac yn mynd â'i phaned efo hi i fyny'r grisia.

Dwi'n agor y drws i'r gegin gynnes.

'Na ... dim heno, Wil, mi wna i rwbath, 'sti, ond well i ni adael iddyn nhw am rŵan.'

Mae Dad yn diffodd ei ffôn ac yn rhoi edrychiad ansicr arna i.

'Edrych be weles i heno, Cai.' Mae'n estyn ei ffôn i mi. Dwi ddim eisiau gweld rhagor o luniau ŵyn, felly dwi'n ochneidio. 'Edrych,' meddai wedyn.

Ac yno, ar sgrin ei ffôn, mae'r llannerch. Mae'n dywyll i ddechrau cyn i'r golau lithro trwy'r brigau, ac yn araf mae siapiau solet yn dod i'r golwg. Mi wela i'r ffilm yn ailchwarae: y lleuad yn taflu ei goleuni disglair eto ar y marciau gwynion, yn creu fflachiadau, yn dilyn y symudiadau chwareus. Ac mae'r hud yn dal yno.

'Dwi 'di anfon y fideo at Ffion. Mi ddaw adre ddydd Sul, medda hi, ac mae hi am aros am sbel.'

AT FY NGHOED

MEGAN ELENID DAVIES

Dod adre i wyna oedd y cynllun. Faint ddylai hynny gymryd? Rhyw dair wythnos? Mis ar y mwyaf. Dibynnu pa mor dynn oedd y cyfnod hyrdda, mae'n debyg. Ond dyma ble'r ydw i – yn fy nghôt byffiog binc a Dacs a Mot wrth fy ochr – a deg mil a mwy o ddilynwyr yn aros am fy 'stori' nesaf.

Trois y chwythwr aer yn uwch i gynhesu. Edrychais ar fy hun yn nrych canol y Land Rover. Roedd croen fy nhrwyn yn plisgo ac yn awchu am ychydig o eli, y powdr a roddais ar fy mochau peth cynta'n y bore wedi hen grimpio, a'm gwallt yn gudynnau seimllyd o dan fy het *bobble*.

Roedd golwg bwgan brain arna i.

Pwysais yn ôl gan deimlo plastig y trowsus dal dŵr yn glynu at ledr y sedd. Ro'n i wedi treulio fy mhlentyndod rhwng drysau'r Land Rover, a'r cŵn yn y cefn yn gwmni ffyddlon. Ond yn y sedd arall fydden i fel arfer, tra bo Dacs tu ôl i'r llyw. Bryd hynny, roedd fy nghoesau yn ddigon byr i'w gosod ar dop y *dashboard* a phrin y gallwn weld dros fframyn y drws. Byddwn wedi sodro fy mhen-ôl rhwng y gêrs a'r bocs yn y canol, ac wedi cael fy siarsio i gadw draw o unrhyw nodwyddau, clipers traed neu srinjis miniog. Dyna'r adeg pan fyddai Dad a Mam yn fy ngadael yn Lluest Uchaf, yn gwmni i Dacs ar y penwythnos – a finnau'n methu aros.

Edrychais arno'n taflu cipolwg sydyn ar ddefaid ei gymydog wrth i ni wibio hyd y lonydd. Llwybrau oedd yr un mor gyfarwydd iddo â'r gwythiennau glas ar gefn ei law. Ar ôl blynyddoedd o'i ddilyn ar hyd y llwybrau hyn, ro'n i wedi dod yn hen law ar agor y giatiau ac yn gwybod yn union pryd i gydio'n handlen y drws – fel nad oedd angen iddo lacio dim ar y pedal, bron. Druan, doedd e byth yn siŵr pa gêr roedd e ynddi, a'r Land Rover yn hercio crynu rhwng y naill a'r llall. Ond byddwn i'n ddigon cysurus yno, yn cael twrio'n hapus am y Werther's Original oedd e'n eu cadw yn y blwch blaen. Byddai blas y melysion hynny'n fy nhynnu 'nôl yn ddi-ffael i hafau fy mhlentyndod yn Lluest Uchaf.

Roeddem ar ein ffordd adref ar ôl bod rownd y defaid cyn iddi nosi pan bwyntiodd Dacs i mi droi trwyn y cerbyd i gyfeiriad Hafod y Foel. Roedd yn brofiad rhyfedd ei weld e'n eistedd yn y sedd gyferbyn ac yn agor y giatiau i mi. Ond roedd e'n ddigon parod i dapio'r *dashboard* pan fyddai angen i mi refio fwy neu frecio'n galetach.

Byddai fy nilynwyr wrth eu boddau'n gweld

fideos bach ohono'n esbonio pethau fel hyn i mi. Ymhlith y rhai mwyaf poblogaidd mae'r un ohono'n egluro sut i refyrsio beic cwad a threlar bach, yr un ohono'n dangos sut i dynnu rap yn daclus oddi ar felen silwair, neu'r un ohono'n egluro sut i dynnu hwrdd â'i gyrnau'n sownd yn y ffens yn rhydd heb gael dolur. Byddai Dacs yn tuchan wedyn, gan godi ei gap fflat i grafu'i ben pan fyddai'n fy ngweld i'n sefyll yno â'm ffôn yn fy llaw yn ffilmio. Ond fyddai e byth yn gwylltio nac yn colli'i dymer. Dwi ddim yn meddwl fod yr un rheg wedi gwneud cartref ar ei dafod erioed.

Dilynais ei orchmynion a rhoi'r cerbyd yn *low box* wrth i ni wyro rhwng y tyrrau mawn a'r creigiau ar y ffordd i Hafod y Foel. Gallwn deimlo ei bresenoldeb yn pwyso'n nes ataf wrth iddo synhwyro fy nerfusrwydd, ac yn pwyntio at ble y dylwn anelu'r olwynion. Roedd yr injan yn chwythu stêm erbyn i ni gyrraedd y copa, ac o'r diwedd, teimlais yn ddigon cyfforddus i lacio fy ngafael ar y llyw a sychu chwys fy nwylo ar ledr y sedd.

Diffoddais yr injan a gwrando ar sŵn y gwynt yn cylchu'r cerbyd.

O'r fan hon, gallem weld Lluest Uchaf yn ei holl ogoniant islaw, a'r cwm yn ymestyn yn hir o'n blaenau. Gwyddwn yn iawn beth oedd yn ei boeni, ond doedd gen i mo'r geiriau i'w hestyn ato.

'Os na allwn ni gael pum munud i ni'n hunen ar nos Sul fel hyn, beth yw'r pwynt bod wrthi, gwêd?'

Dyna oedd ei eiriau wrth iddo dynnu'i gap yn dynn amdano i fynd allan i ryfeddu at yr awyr fawr o'i flaen. Tynnais yr hand-brêc ddau glic yn uwch a mynd allan i sefyll wrth ei ochr.

Roeddwn i wedi amau o'r blaen mai i'r fan hon y deuai pan fyddai pethau'n pwyso arno. Syllais ar yr awyr yn glasu ac yn duo am yn ail, a mân gochni'r machlud yn llithro drwyddi, fel staeniau te ar liain gwyn. Ond doedd dim modd anwybyddu'r bonion bach oedd yn magu gwreiddiau ar y llechwedd pellaf. Roedd y coed fel pe baen nhw wedi lluosi yn y gwynt yn ddiweddar, a'u canghennau cryfion yn nadreddu'n uwch ac yn uwch i fyny'r cwm. O leiaf roedd y peiriannau'n segur heno.

Roedd golwg bell ar Dacs wrth iddo syllu ar y llechweddau cyfarwydd hynny lle arferai helpu ei gymdogion i hel y defaid at gneifio neu ddipio, a sŵn y cŵn a charnau'r ceffylau yn tasgu o'i gwmpas.

'Es i'n sownd fan yna ar gefn poni un tro. Hen le gwlyb, a'r bois yn eu dyble yn trio 'nghael i'n rhydd.'

Symudais fymryn yn nes ato i geisio gweld. Roedd hi'n rhyfedd gweld fferm arall wedi mynd o dan y coed. Dim ond Lluest Uchaf a'r fferm drws nesaf oedd ar ôl nawr.

'Dyna fe, ma pethe'n altro. Falle bod angen i ninne altro 'fyd.'

Crynais. Ro'n i'n gwybod am y cynnig. Yn gwybod ei fod yn cadw Dacs yn effro yn y nos.

Tynnais fy llygaid i ffwrdd o'r gorwel am ychydig a syllu'n nes at adref. Gallwn glywed brefu pell y defaid yn galw am eu hŵyn yn y caeau islaw Lluest Uchaf. Estynnais am fy ffôn i geisio dal yr ennyd. Roedd hi'n ennyd drom, ac eto'n dyner, ac ro'n i am ei chofio.

Wrth dynnu fy ffôn o'm poced, gwelais fod negeseuon e-bost digon swta yn aros amdanaf: 'Wedi gadael adroddiadau'r flwyddyn ar y ddesg i ti' a 'Ti'n dod 'nôl fory, yn dwyt?' Grêt. Y peth olaf ro'n i eisiau meddwl amdano'r funud hon oedd hen daenlenni llwyd yr adran gyllid. Doedd Dad a Mam dal ddim callach 'mod i wedi gofyn am wythnos ychwanegol i ffwrdd o'r gwaith. Bydden nhw wedi mynd yn hollol bananas pe baen nhw'n gwybod y gwir. Ond ceisio cuddio'i wên fyddai Dacs.

Anadlais yr oerfel a gwylio cwmwl bach yn esgyn o fy mlaen. Teimlai'r llonyddwch fel bod rhyw newid ar droed. Gwyddwn yn iawn ei fod yntau'n teimlo rhywbeth tebyg. Efallai mai'r diwrnodau hir o godi'n gynnar a mynd i'r gwely'n hwyr oedd yn gyfrifol am ein blinder, ond roedd Dacs yn bendant dipyn tawelach wrth ei waith y dyddiau yma.

'Reit, arhoswch chi fan yna. Peidiwch â symud modfedd. Ma ffoto ffantastig 'da fi!'

Edrychai Dacs fel rhyw hen ŵr gwybodus oedd yn gallu darllen y bryniau o'i flaen, yn union fel un o gymeriadau Aneurin Jones, wrth iddo sefyll yno dan gesail Hafod y Foel. Rhoddais fy ffôn i bwyso'n ofalus ar fonet y Land Rover a brasgamu 'nôl at Dacs o fewn deg eiliad y camera, a thaflu fy llawes binc am ei gôt frethyn yntau.

'*Cheese!*' meddwn.

'Reit, fi'n oeri. Dere wir,' medd yntau.

Rhwbiais fy nwylo ac ailwisgo fy menig ac aethom yn ein holau i Luest Uchaf, heb yngan gair wrth ein gilydd. Minnau'n meddwl am fynd 'nôl i fy ngwaith diflas, a Dacs yn meddwl ymhellach na hynny, siŵr o fod.

Ar ôl i mi barcio'r cerbyd o flaen y tŷ, oedodd Dacs cyn agor y drws. Roedd ei feddwl ymhell, a'r tawelwch rhyngom yn dweud cyfrolau. Rhoddodd ei law yn dyner ar fy mhen-glin cyn cydio wedyn yn yr handlen.

'Wel, pob lwc i ti 'nôl yn y gwaith 'na fory.'

Ennyd o dawelwch. Ddylwn i ddweud rhywbeth? Sôn am y cynnig. Sôn am fy ngwaith. Rhywbeth. Cliriais fy llwnc, ond roedd Dacs wedi synhwyro'r naws ryfedd hefyd ac wedi achub y blaen arnaf â rhyw jôc fach ysgafn, yn ôl ei arfer.

'Bydd y defed yn gweld dy isie di.'

'Ha! Byddan, siŵr o fod. Ma nhw'n gwybod y cewn nhw fwy o faldod 'da fi!'

Chwarddodd yntau ac aeth yn ei flaen i'r tŷ yn dawel bach i gynhesu ei swper. Gwyliais ei gefn yn hercian wrth iddo symud ei bwysau o un glun i'r llall. Roedd clep y drws yn dal i atsain yn fy nghlustiau, ac wrth eistedd yn y Land Rover ar fy mhen fy hun, roedd y gwacter yn fy nghnoi i'r byw.

Roedd ychydig o waith tacluso ar ôl gen i ac roedd angen i mi fwydo'r cŵn cyn ei throi hi am adre at Dad a Mam. Ond am ryw reswm, ni allwn symud o'm sedd. Ro'n i wedi treulio tamaid o bob dydd yn y cerbyd hwn dros yr wythnosau diwethaf, a rhan helaeth o fy mhlentyndod hefyd. Roedd y sedd wedi mowldio i siâp fy mhen-ôl, a'r lledr wedi dechrau raflo yn y corneli. Dechreuais bigo'n ddidrugaredd ar y sbwng melyn oedd yn dianc ohono. Doedd dim calon gen i symud, ond gwyddwn na allwn aros yma chwaith.

Agorais fy ffôn ac oedi i edrych ar y llun ohonom ein dau yn Hafod y Foel. Dechreuais botsian gyda'r ddelwedd – cropio'r cefndir, taenu mwy o olau ar wyneb Dacs, a rhoi ffilter llwydlas ar y darlun i grisialu hud yr adeg hon o'r dydd, y cyfnod hwnnw pan fo'r dydd wedi diosg ei sgidie a'r nos yn clymu'i lasys.

Gwenais. Roedd y llun yn rhy dda i beidio â'i rannu, ond gwyddwn y byddai'n siŵr o ddenu rhagor o sylwadau gan y pennau bach. Y trueiniaid hynny sydd wastad â rhywbeth i'w ddweud. Iddyn nhw, rwy'n gwastraffu fy amser ar y ffôn, yn gwybod y nesaf peth i ddim am stoc a phorfa a pheiriannau, ac yn fwy o niwsans i fy nhad-cu druan, sy'n ceisio dal deupen llinyn ynghyd yn yr hen le 'ma. Byddai'n haws o lawer iddo dderbyn y cynnig a mwynhau ei bensiwn dyledus, yn lle ffwdanu â hen ffreipan ddi-ddal fel fi. Pa obaith sydd gan rywun sy'n gwisgo masgara cyn mynd ar gefn cwad yn y glaw i gynnal rhywle fel Lluest Uchaf?

Dyna oedd pobl yn ei ddweud, bownd o fod.

Agorais y blwch o flaen y sedd a thynnu *air freshener* newydd allan i ysgafnhau ychydig ar yr aer. Ac yno y gwelais y pecyn euraid o Werther's Original – yn swatio ymhlith y menig gwlyb a'r nodwyddau cam. Dacs anfonodd fi i'r dre'r wythnos diwethaf i gasglu rhagor o penisilin. Ni allai stumogi'r daith mwyach. Roedd wedi mynd i boeni gormod o lawer am beth roedd pobl yn ei ddweud, yn enwedig ers i'r plannu ddechrau ar ben pella'r cwm. Bron y gallech chi weld ei waed yn ffrwtian o dan ei groen ac yn codi i'w fochau pan fyddai'n clywed rhywrai'n dweud, 'Chi'n ystyried y peth, siŵr o fod?' a rhyw dwt-twtian wedyn, cyn troi at un arall a dweud "Na biti, yndefe'.

Ond doeddwn i ddim yn gwrando ar eu cleber gwag nhw, ac achubais ar y cyfle i wneud ychydig o siopa tra oeddwn i yno. Dogfennais y profiad i'm dilynwyr hefyd – fy *top tips* o ran siopa am bethau i'r fferm. Roedd e'n gyfle rhy dda i beidio â gwneud dim, a chefais dipyn o ymateb. Dangosais sut i osgoi siopau amaethyddol tyff, llawn hambons, oni bai fod gwirioneddol raid. Mae yna ormod o destosteron yno i mi, ac mae'n well gen i chwilio am fargeinion mewn siopau fel B&M, Home Bargains neu eil ganol Aldi.

Chwerthin wnaeth Dacs pan ddangosais i'r fideo iddo'r noson honno.

'O mowredd, beth y'n ni'n mynd i'w 'neud 'da ti, gwed?!'

Brathais fy ngwefus isaf. Gwyddwn na fyddai hyn yn hawdd. Gwyddwn hefyd nad oedd fy nhraed bach *dainty* yn gwbl hapus mewn pâr o welingtyns drwy'r dydd, na fy mreichiau eiddil yn mwynhau cario bwcedi o fwyd sych o un pen y cae i'r llall. Ond roedd meddwl am yfed coffi a chymharu salads yn y swyddfa bore fory yn gwneud i mi deimlo fel pe bawn i ar fin camu'n syth i grombil y goedwig dywyll ym mhen pella'r cwm. Roedd hi'n amlwg fod Dacs yn cael ei dynnu yno hefyd, heb allu gweld y golau yn y gwyll am yr hyn a ddeuai nesaf.

Mae'n siŵr 'mod i'n dipyn o faen tramgwydd i Dacs. Roedd e'n bell dros ei bedwar ugain a'i gluniau'n gwegian, ond eto, byddai'n dringo i ben y tractor i garthu'r siediau a bwydo'r da, tra 'mod innau'n powtio yn y gwellt ac yn tynnu *selfies* gyda'r ŵyn a'r lloi bach. Ffermwr tywydd teg oeddwn i. Ond roedd ei amynedd yn rhyfeddol, a'i wên grwca yn llenwi fy nghalon bob tro. Gwyddwn hefyd ei fod yntau wrth ei fodd gyda fy nghwmni. Byddai'n sicrhau bod fy nghôt binc yn sychu ger y Rayburn bob nos a bod gorchuddion newydd dros *handlebars* y cwad ar ôl i mi achwyn unwaith bod fy nwylo'n rhy oer. A'r noson honno, pan ddes i adre o'r dre, gofynnodd i mi osod yr iPad lan iddo, er mwyn iddo allu gwylio rhagor o fy fideos bach doniol yn ei amser ei hun. Byddai'r rheiny'n tynnu ei feddwl oddi wrth y cynnig am ryw damaid, o leiaf.

Agorais fy Instagram. Er mor arwynebol oedd y lluniau a'r capsiynau ar yr olwg gyntaf, roeddwn i'n reit falch o'r hyn roeddwn i wedi'i gyflawni. Roedd fy nilynwyr wedi treblu ers dod adre i wyna ac ambell gwmni wedi cysylltu â mi hefyd i fod yn llysgennad dros ferched mewn amaeth, a hyrwyddo eu dillad cŵl yr un pryd! Doeddwn i erioed wedi meddwl amdanaf fi fy hun felly o'r blaen.

Sgroliais heibio'r fideo *Get ready with me* oedd wedi cyrraedd pymtheg mil o gyfrifon, a'r calonnau bach yn dal i ddod i mewn. Rhyw fideo digon syml oedd e yn dangos fy nhrefn foreol o wisgo fy welingtyns, agor drws y sied, bwydo'r defaid a'r ŵyn, tanio'r cwad, a bant â fi. Un arall oedd y clip ohona i'n cymysgu llaeth i'r ŵyn swci ac yn eu recordio hwythau'n slyrpian y llaeth o'r botel. Roedd gen i luniau 'cyn ac ar ôl' hefyd ohona i'n tacluso'r sied ac yn rhoi *sprays* a dosys a bwcedi o bob math i gadw ar hast.

Ond Dacs oedd y seren go iawn. Roedd pobl wrth eu boddau'n ei weld wrth ei waith, yn gwneud y pethau symlaf, fel cau gât â chortyn bêl neu roi cwdyn plastig yn ei welingtyn dyllog i sbario prynu pâr newydd.

Aeth fy llygaid yn ôl at y llun ohonom yn Hafod y Foel.

Symudais fy mysedd i'w wneud yn fwy. Pe bawn i'n rhannu hwn heno, byddai'n siŵr o ennyn ymateb. Edrychais yn fanylach arno. Roedd Dacs yn stacyn o ddyn a'i fochau cochion cyn iached â'r geirchen. Ond alla i ddim dweud i mi sylwi'n iawn ar y crychau dwfn ar ei dalcen o'r blaen, na pha mor grwca y safai pan nad oedd e'n cydio yn ei ffon fugail.

Doeddwn i ddim yn siŵr a allwn ei rannu ... beryg ei fod yn dangos gormod o'r gwir. Doedd dim modd cropio rhagor ar y coed yn y cefndir, na thaenu ffilter trymach dros ein hwynebau ni. Roedd y bonion ar y llechweddau'n y pellter eisoes yn taflu eu cysgodion dros gaeau Lluest Uchaf, a'r peiriannau mawr, er yn segur, yn bygwth ysgwyd y tir o dan ein traed. A phwy oeddwn i – yn fy nghôt byffiog binc – i baldaruo am ffermio tra bo'r swyddfa'n galw fory?

Rhwygais y pecyn newydd o Werther's Original a sugno'n hir ar felyster menynaidd y darn bach euraid. Pam na allai popeth aros fel blas y felysen hon?

Anadlais yn hir. Byddai angen gyts, doedd dim dwywaith.

Cydiais yn handlen y Land Rover a neidio allan. Roedd hi'n hen bryd i minnau gynnig rhywbeth.

FOR SALE - LAND

HEIDDWEN TOMOS

... Ar ôl i ni ei chael i lawr, dyna pryd ddechreuodd pethe o ddifri. Dim ond ei chot yn rhuban gwlyb o'dd 'na erbyn hyn. Rhuban coch. Mellten o beth yn y brigau. Ei chael hi i lawr, ei thynnu, ei thorri. Fydden ni ddim 'di gwneud oni bai'n bod ni'n gang. Yn gang o fechgyn yn chwilio am ddrygioni ar ddiwrnod gwlyb. Cwrso, a hithau'n mynnu mynd o'n blaene ni. Rhyw ddianc, falle. Llwyddon ni i'w chornelu hi am 'chydig. Fi a Bobi a Rhys. Doedd Caio ddim 'na'r diwrnod hwnnw.

'Blydi cryts yn rhacso'r blydi lot!' – dyna fydde Dad wedi gweud. 'Nhad i a thad Bobi. Tad Rhys, hyd yn oed, er nad o'dd e'n gw'bod ei hanner hi. Hwrdd o foi yw tad Rhys. Dyna fydden ni'n ei alw fe am mai dyna fydde Dad yn ei alw fe hefyd.

Â'r rhuban yn neidio o frigyn i frigyn, ro'dd y blydi cath wyllt yn mynnu taflu ei hunan o goeden i goeden, a ninne wedi blino rhedeg fel hen bethe dwl ar 'i hôl hi. Ond o'dd yn rhaid i ni ei chael hi lawr, yn do'dd e? Ni fechgyn gyda'n gilydd, a hithau o'n blaene, yn mynnu dianc.

'Twl garreg ati ... gw on ... twl garreg!' 'wedais i.

"Wy YN twlu! Twl di. Fentra i mai fi geith hi gynta!' 'wedodd Rhys.

'Clipad i'w chwt hi. Dyna sy' isie, ac fe ddaw i lawr wedyn.'

'Gwell iti ei dala yn ei phen o lawer. Fan 'ny sy' ore. Reit rhwng 'i chlustie!'

Roedd gan Rhys *air rifle.* Un hen, ac yn werth dim, rili, 'mond i losgi twll bach yn nillad gwely ei fam ar y lein. Ond fe ddalodd Rhys hi – y gath wyllt. Ffliwcen, chi'n gweld. Shoten fach lwcus lan yn y brigau, a'r peth rhyfedda', fe ddisgynnodd hi'n fflwp o frigyn i frigyn a glanio fan 'ny, reit wrth ein traed ni. Fi o'dd y cynta' i'w chicio hi. Doedd neb yn berchen arni, felly beth o'dd yr ots? Fe gicies hi reit yn ei phen. Cicio a chicio'i phen bach am 'i fod yn sbort i gael gwneud, ac fe wnaeth Bobi yr un peth. Un tawel yw Bobi. Ei syniad e o'dd e i ddechrau. Cachwr. Ond fentrech chi ddim gweud 'ny wrtho am mai cochyn yw e, a phan fydd yr haul mas, fydd e'n mynd mewn i chwarae Xbocs rhag ofn iddo fe gael *skin cancer.* Achos ma *skin cancer* yn taro pan ma'r haul mas, glei. Rybish yw 'ny, 'wedodd Mam. Ond ma mam Bobi'n wir yn credu bod e'n wir.

Hen un od yw mam Bobi – yn llefen drwy'r adeg a does byth bwyd yn y tŷ. Ma'r cyrtens wastad ar gau, fel 'se rywun wedi marw 'na o hyd, a byth gole mla'n, er bod hi gartre. Ond erbyn hyn, fydden ni byth yn galw 'na am Bobi. Rhwyddach i bawb, 'wedodd e. A dyna pam mai ar ben yr hewl fach ar bwys y stan' la'th fydden ni wastad yn cwrdd 'da fe, ac nid o'r clos.

Ond ry'n ni yn y goedwig tu ôl y *starter homes*. Yn cwato mewn yn fan 'ny am fod bois dre yn gweud ein bod ni'n *sheep shaggers*. So ni yn, ond gan fod Rhys yn berchen tractor a nhwythe'n dod o'r seit, ma'n gwneud sens, sbôs. Wel, sens iddyn nhw. Fydden ni'n dod 'ma'n aml, a gweud y gwir. Digon i'w wneud fan hyn, ond i chi ga'l cwmni.

'Tyn 'i llyged hi mas, Bobi! C'mon, bydd e'n sbort!' 'wedes i. Ro'n i'n chwerthin, 'chwel. Chwerthin am fod y bois yn disgwyl i fi jibo. Ond 'wy ddim am 'neud 'ny. 'Wy'n gw'bod beth yw corff, 'wy yn. So, fe 'wedes i fe 'to gan fod Bobi ddim yn cicio gymaint â 'ny erbyn hyn.

'Cic hi, Bobi! Fel hyn!' 'wedes i a chodi 'nyrnau i ddangos 'mod i'n meddwl busnes. Fel 'na ma nhw'n gwneud yn *back* y *bus* ysgol. Jyst cyn iddi fynd yn *free for all* rhyngon ni a bois dre. Ma nhw'n gweud bod *Redbacks* yn drewi a ninne yn gweud bo' nhw'n dwats ac yn drygis. Nhw sy'n dechrau bob tro ... a ninne'n ei bennu ddi!

So ni'n lico bois dre. Tro d'wetha, ges i ddim mynd i'r twrnament rygbi 'da'r tîm ysgol am i fi gael fy nala mewn ffeit 'da blydi Ashton. Fi enillodd, ac Ashton bach â'i drwyn e'n gwaedu fel mochyn. A ma Mam wedi gweud digon i fi beidio dechre clatsio 'to achos bod dim arian 'da hi i brynu *uniform* newydd i fi. Dim ond chwerthin fydda i, a gweud wrth Mam fod dim angen *uniform* arna i achos 'mod i'n bennu cyn bo hir, ta beth. Gartre fydda i wedyn. Gartre 'da Dad.

Ma Rhys yn plamo *back* y dryll mewn i'r pridd rownd y pen. Trial dal ei llyged hi. Y gath nawr. Y gath farw. Ond licen i weld Bobi'n dwyno'i ddwylo. Fydden ni gyd yn euog wedyn, yn byddwn ni? Ond dyw e ddim moyn ... na, dyw e ddim am ddwyno'i ddwylo.

'Dere mla'n!' mynte Rhys hefyd, a hwnnw'n torri chwys diferol yn ei hwdi dew gan fod yr haul mas a ninne wedi bod yn rhedeg.

'Jwmp ar 'i phen hi,' 'wedes i wrth Bobi. Os bydde Caio 'ma nawr, fydde fe wedi gwneud yn syth. Ma natur y jiawl ar Caio. Gwd mewn sgrym, os na wylltith e. Ond dyw e ddim 'ma heddi. Ma fe lawr yng Nghaerdydd gan fod ei whâr e wedi cael *degree* ac yn graddio heddi.

Fe droies i'r gath wyllt rownd 'da bla'n f'esgid. Doedd dim lot o niwed arni, rili. Dim ond ei bod hi ddim yn symud a bod ni'n tri yn gw'bod nad o'dd hi'n mynd i symud 'to. Ro'n i'n gweld Rhys yn pipo'n gyflym a Bobi'n sychu'i drwyn â bac ei law. Ac ro'n ni'n tri fan 'ny yn meddwl bod dala cath wyllt yn beth digon anghyffredin, achos dim ond cathod dof sy' ffor' hyn, fel arfer. Ma digon o gwningod a brain a drydws. Ond ro'dd hon yn wobr sbesial. Fe licen i gael dryll. Fel un Rhys ond un gwell. Un 'da *thing* ar y top i weld drwyddo o bell, ac un sy'n saethu'n strêt. Nid *hit or miss* fel sy' 'da fe.

Fe elon ni gartre sbel fach wedyn. Doedd dim lot o bwynt mewn wasto amser a Mam wedi gweud gelen ni *Chinese* i swper ond i fi gofio carthu sied y cŵn defed cyn i Dad ddod gartre. Cofio mynd gartre drwy'r coed a meddwl ein bod ni'n *bartners-in-crime.* Ie, yn *bartners-in-crime* go iawn. Fi a Bobi a Rhys. Ges i reid ar gefn beic Bobi hefyd, a Rhys yn gorfod cerdded achos bod dim unman 'da fe i afael ynddo, ac ynte'n dala'r dryll. *Air rifle* – ond dryll ...

Dim ond tuchan 'nath Bobi gan 'weud 'mod i'n drwm a lletchwith a bod ynte'n ffili dala'r *handlebars* yn strêt gan bo' fi'n pwyso gymaint.

'Isie bach o fôn braich, achan!' 'wedes i a chydio'n dynn yn ei ganol, rhag i fi slipo o'r sêt ac ynte'n mynd fel y jiawl lawr y rhiw a'i draed ar y pedals a'i ben-ôl dros y bar canol. Does dim lot o glonc 'da Bobi ers i'w Dad adael, a ma Rhys a finne'n gw'bod yn well na holi am hwnnw.

''Se Caio 'ma nawr ...' mynte Rhys o'r diwedd. Ninne wedi cyrraedd gwaelod yr hewl fach cyn iddo fe gael amser i gyrraedd y sein *For Sale – Land.* Ie, 'se Caio 'ma nawr, feddyliais inne 'fyd wrth wylio Rhys yn chwythu fel madfall yn ceisio cael ei anadl 'nôl.

'Yffach, gelen ni sbort 'da Caio, alla i weud 'ny wrthoch chi nawr. Ma Caio'n drysu ofan cathod.'

'Ma Caio'n alyrjict,' 'wedes i. 'Dyw e ddim yn 'i hofan nhw ... jyst alyrjict yw e.'

'Ha! Reit!' 'wedodd Rhys wrth nodio â rhyw wyneb 'ie, ie, gwed ti' 'da fe. 'Sneb yn lico Rhys, dim rili. Goddef ein gilydd fydden ni. Weithie ma fe'n iawn, weithie ma fe'n fachan bras.

Fe eisteddon ni wedyn am bum munud bach a gwrando ar yr afon yn gwylltu heibio a difaru na ddelon ni â bobo dowel i ni gael mynd mewn cyn amser te. Fel y tro 'na llynedd pan ddilynon ni'r afon draw i'r *donkey rescue* newydd ddaeth yn lle fferm Dôl-ddu a gweld dwy globen yn cael Asda *delivery*, a Bobi'n gweud, 'Pwy ddiawl sy'n cael *home delivery* ffor' hyn a Co-op yn dre?'

Ces afael mewn brigyn bach siarp i grafu'r grymen o waelod fy sgidiau. Fe wnaeth Bobi 'run peth, a Rhys ym môn clawdd yn chwythu dwst drwy lygad yr *air rifle*. Dim ond sbengan o'dd e, wrth gwrs, esgus fod e'n rhyw ddyn mowr ac yn *hero* am saethu'r gath cyn pawb arall.

'Shŵr o fod yn llinger i gyd,' mynte fe wedyn. A finne a Bobi yn nodio'n dawel wrth dynnu llinell drwy'r baw.

'Fydd e'n rhyfedd,' 'wedes i wrth geisio torri'r sŵn gwag ddaeth rhyngon ni wrth i bawb eistedd a meddwl. Meddwl falle na ddylen ni fod wedi ... lladd. Lladd y gath wyllt, er nad o'dd hi'n *belonged* i neb.

'Rhyfedd ... pan ei di, Bobi, i fyw yn dre ...' 'wedes i wedyn, rhag ofn bod Rhys ddim wedi clywed yn iawn.

Ro'n i am i Bobi wybod faint o'i isie fe welen ni. Ond dim ond carthu'i wddf wnaeth Rhys ar ôl bach, a phipo arna i fel 'se cyrn yn tyfu mas o' mhen i. Ei ddwy lygad e fel llygad y dryll, yn bygwth yn dawel. 'Wedodd Bobi ddim byd, dim ond gwasgu ei ên yn dynn ar ei frest a syllu ar ei draed. Fydde fe ddim yn llefain. Dim ond twats dre fydde'n gwneud 'ny.

'Pan ei di fyw yn dre, fydden ni'n shŵr o dy weld di ... ambell waith ... heblaw am yr ysgol, yn dyfe? Alli di gael *sleepover* 'da ni, digon o le yn y dent yn yr ha'. Falle allet ti ddod am ryw wythnos? Neu fis hyd yn oed? Fydd dim ots 'da Mam ... neu allwn ni ddod i'r dre atat ti? Allwn ni ddala'r *bus* ... neu gerdded os 'se raid, yn dyfe, Rhys?'

'Bydd ddistaw, yr hwrdd,' mynte hwnnw ar ben popeth, a Bobi yn edrych â hanner gwên arna i. Roedd e wedi'i ddeall hi. 'Wy'n lico Bobi. 'Wy ddim am ei weld e'n gadael. Yn fwy na 'ny, 'wy ddim am iddo feddwl fod dim ots 'da ni.

* * *

Ac yn fan 'ny, dof i 'nôl ato. 'Nôl at y part bach 'ny ... y part jyst cyn.

Cofio edrych ar wreiddiau'r coed ar bwys yr afon. Ein gwreiddiau ni o'dd y rhain. Fi a Rhys a Bobi. Ein henwau wedi'u crafu mewn i'r rhisgl. Cofio meddwl am ddod 'ma'n yr ha', a gw'bod na fydde Bobi gartre i ni gael galw amdano o ben hewl y stan' la'th. Cofio'r sein *For Sale – Land* wedi'i wreiddio yn y tir, yn gweud bod rhaid iddyn nhw dynnu hen seld ei fam-gu o'i lle a'i gwerthu yn sêl ddodrefn y pentre'. Cofio gweld hen ddrangwns o'r tŷ gwair, y garreg hogi ar stand, yr hen *churns* a'r beics plant bach o ben sgubor, yn ddwst i gyd. Gweld rheiny a gw'bod mai Bobi o'dd pia nhw. Stwff Bobi. Hen stwff teulu Bobi a'r cwbl â sticyrs arnyn nhw. Sticyrs bach i 'weud nage fe o'dd pia nhw rhagor. Cofio gweld ei fam un pen i'r sêl a'i dad y pen arall, a hwnnw'n rhannu *chips* â menyw ddiarth ... a wyneb Bobi wedi tyfu lan i gyd a'i lyged e'n fach. Dim ond gordd ei dad-cu gad'wodd e. Gordd fawr drwm â choes bren. Gordd dyn go iawn. A finne'n meddwl – pam cadw hwnnw? Am beth twp i'w gadw. Pa iws o'dd gordd i rywun fydde'n byw yn dre, mewn tŷ bach heb ffens, 'sa i'n gw'bod.

Dim ond ei chot yn rhuban gwlyb welon ni gynta'. Rhuban coch. Mellten o beth yn y brigau. Ei gwallt yn swp stecs. Ac fe 'wedes i jôc hefyd. Jôc am weld coesau. Coesau menyw yn y golwg. Ro'n nhw'n wyn ... a'r glaw wedi'u golchi nhw i gyd. 'Wy'n cofio gweud jôc achos o'dd e'n ffyni ... ar y pryd ... cyn i fi sylwi. Doedd hi ddim fod yn fan hyn. Ffiles i 'werthin yn hir wedyn, achos o'n i'n gw'bod beth o'dd hi. O'n i'n gw'bod hefyd PWY o'dd hi, ond fentrodd Rhys na fi ddim gweud wrth Bobi.

Roedd e wedi 'nabod ei fam cyn yr un ohonon ni.

Mellten o beth yn hongian yn y brigau, ei chot yn wlyb a'i choesau wedi cwpla cicio.

Ei chael hi lawr, ei thynnu, ei thorri. Ond doedd dim cyllell 'da ni. Dim ond dryll Rhys ... ac roedd hi'n rhy drwm i ni ei chario.

COED AFALAU

BETHAN GWANAS

'Helô? Euros? Ydi'r blydi WiFi 'ma 'di mynd eto?'

Roedd y sgrin wedi rhewi gyda llygaid Euros, ei mab, wedi rhowlio'n sownd i gyfeiriad ei dalcen. Edrychai fel sombi. Doedd Iola ddim yn siŵr ai'r cysylltiad gwael neu'r ffaith ei fod wedi cael llond bol o glywed cwynion ei fam oedd wedi achosi i'w lygaid rowlio fel yna. Gwyddai ei bod yn aml yn swnio fel nodwydd wedi sticio, ond roedd ganddi gymaint i gwyno amdano 'doedd!

Wrth aros i'r we ddod ati'i hun, dechreuodd wneud un o'i rhestrau dyddiol:

Rhesymau dros gwyno:

1. Y cysylltiad WiFi. Dwi'n treulio hanner fy mywyd yn rhegi ar y bali sgrin 'ma.
2. Gwersyllwyr. Roedd hi mor braf bod hebddyn nhw dros y gaeaf, a dyma ni, mae hi bron yn Basg ac mi fydd y diawliaid yn llifo drwy'r giatiau eto ac yn fy ngyrru i (a'i gilydd) yn benwan.
3. Y tywydd. Mae hi wedi glawio ryw ben

bob dydd ers wythnosau ac mae lle fuon
ni'n torri coed yn dal fel y Somme, yn
rhy wlyb i ni drio rhowlio'r lle'n wastad,
neis ar gyfer y pebyll SY'N DOD MEWN
WYTHNOS! Tasai Euros ddim wedi
penderfynu aros ym mhen draw'r byd, mi
fyddai o wedi cael trefn ar y lle ers talwm.

4. Mae Euros a'r ddynas 'na a Richie Mac, y
babi, yn mynd i aros yn Seland Newydd
am flwyddyn arall o leia, a dwi'n meddwl
bod hynna'n ofnadwy o hunanol.

5. Mae hi'n bum mlynedd ers i Glyn farw.

6. Dwi wedi clywed bod Tyn Rhos wedi'i
werthu i gwpwl sydd am 'neud y lle yn *air
B & B*. Felly dyna bump ar yr un stryd ac
mi fydd 'na fwy fyth o geir hurt o lydan
isio parcio ar yr allt – ar y ddwy ochr
– ac mi fydd hi'n anoddach fyth i yrru
drwyddyn nhw yn y fan, heb sôn am efo
tractor a threlar.

Gallai Iola deimlo ei gwaed yn dechrau berwi, felly
penderfynodd fod y rhestr yn hen ddigon hir am y
tro – ac mai gwastraff amser oedd disgwyl i'r sgwrs
Zoom atgyfodi. Roedd gan Euros bethau gwell i'w
gwneud na gwrando ar ei fam yn hefru, beryg.

Roedd hi'n hen bryd iddi fynd rownd y defaid,
beth bynnag. Roedd pâr o efeilliaid wedi cyrraedd

bum niwrnod ynghynt, a dim byd wedi hynny. Mae'n rhaid bod yr hwrdd wedi blino ar ôl ei dro cyntaf ac isio hoe, meddyliodd, wrth estyn am ei chôt law.

Cofiai fel y byddai Glyn yn rhochian cysgu ac yntau prin wedi gorffen perfformio. Digwyddodd hynny ar noson eu priodas ac ar sawl achlysur wedi hynny. Ond canmol ei choginio a'i gallu i weithio allan ym mhob tywydd wnaeth o yn ei araith briodas; dyna roedd o'n chwilio amdano mewn gwraig. Ddywedodd o erioed ei bod hi'n rhywiol neu'n ei droi o 'mlaen, fel byddan nhw'n gwneud mewn ffilmiau a llyfrau. Ond doedd hithau ddim wedi teimlo felly tuag ato fo chwaith. Fel pob ffermwr, roedd ganddo ysgwyddau a breichiau digon taclus, ond doedd 'na 'm byd yn rhywiol am ei goesau gwynion Robin goch, a dim ond un waith edrychodd hi'n iawn ar ei John Tomos o.

Tybed pam fod rhywun wedi penderfynu ei alw wrth yr enw hwnnw, meddyliodd Iola wrth wthio ei thraed i mewn i'w welingtyns. Oedd 'na ryw foi o'r enw John Tomos yn ddigon anffodus i edrych fel pidlen mewn rhyw ffordd? Neu efallai mai criw o fechgyn bach fu'n trafod yn ddigon diniwed rhyw dro, pa air i'w ddefnyddio amdano, fel 'biji-bo' neu 'wili' neu be bynnag, dim ond i un gyhoeddi mai John Tomos oedd enw ei bidlen o. Iola, callia, meddai wrthi ei hun wrth gau ei chôt. Byddai Glyn wastad yn deud fod ganddi syniadau gwirion.

Wnaeth o 'rioed ei phlagio am ei damaid, chwarae teg, ond roedd hi'n eitha' amlwg nad oedd llawer o destosteron yn y creadur. Roedd hi'n wyrth eu bod wedi gallu creu hogyn bach nobl fel Euros, â bod yn onest. A phan gyrhaeddodd hwnnw, yr etifedd, dyna ni, doedd dim angen rhoi cynnig arall arni, nag oedd? Doedd Iola ei hun ddim ar dân i fagu babi arall chwaith; doedd bod yn fam ddim yn dod yn naturiol iddi, er ei bod yn caru Euros â'i holl enaid.

Tybed oedd hi wedi llwyddo i ddangos y cariad hwnnw ddigon? Doedd Glyn yn sicr ddim wedi ffysian dros yr hogyn. Os rhywbeth, roedd o wedi bod yn rhy lym o beth coblyn efo fo ar sawl achlysur, ac wedi gweld bai arno fo'i hun am hynny yn y diwedd.

Roedd hi'n cerdded drwy'r cae dan tŷ rŵan. Oedodd am eiliad wrth y goeden afalau. Coeden gafodd ei phlannu pan oedd Euros yn flwydd. Byddai'n blodeuo eto cyn hir ac yna byddai'n harddach na'r un goeden arall.

Yna sylwodd ar rywbeth y tu ôl iddi. Dafad arall wedi cael efeilliaid – un wedi ei lyfu'n lân a'r llall yn dal yn llysnafedd coch a melyn. Ond doedd yr un o'r ddau yn symud. Gorweddai'r fam wrth yr un coch a melyn, yn ceisio ei lyfu, ond pan aeth Iola draw ati, roedd y ddau gorff bach yn oer, oer. Roedd hi'n amhosib deud pam buon nhw farw; un o'r pethau 'na. Doedd dim y gallai Iola ei wneud beth bynnag, heblaw gadael y fam druan efo nhw am y tro a gobeithio y byddai'n gallu rhoi oen iddi ei fabwysiadu cyn hir.

Nid dyna'r unig ŵyn i gyrraedd dros nos; roedd 'na bump newydd i gyd ond edrychai pob un yn iach a bodlon er gwaetha'r tywydd annifyr. Iawn, adre i ddal i fyny efo stwff y maes carafannau, meddyliodd Iola.

Treuliodd awr yn ceisio archebu rholiau mawr o bapur tŷ bach dros y we ac ateb ugeiniau o ebyst gyda, 'No, we're fully booked over Easter weekend, sorry', a 'No, we can't refund your deposit – that's the whole point of a deposit', ac egluro eto fyth nad oedd modd i'r carafannau tymhorol ddod cyn i'r maes agor oherwydd na fyddai'r maes ar agor. 'But we'd like to put up our awning.' Tyff! Gewch chi frwydro efo nhw'r un pryd â phawb arall! Byddai'r clo yn aros ar y giât tan y munud olaf a dyna fo. A na, yn bendant, NA! Dim Asda *deliveries* i'r maes! Atgoffodd nhw fod siopau i'w cael yn y dre a'u hannog i gefnogi'r economi leol. Efallai fod y prisiau yng nghefn gwlad yn ddrytach na'u siopau nhw, ond dyna fo, ni cheir y melys heb y chwerw. *Os dach chi isio mynyddoedd ac awyr iach, talwch amdanyn nhw* ... Ond stopiodd ei hun rhag teipio hynny.

Yna, penderfynodd nad oedd ganddi ddewis ond mynd drwy'r negeseuon ar y peiriant ateb, ond roedd eu hanner nhw'n siarad mor gyflym, doedd hi'n dallt bron dim. Bob blwyddyn, byddai'n cymryd o leiaf wythnos iddi diwnio ei chlustiau i'w hacenion nhw.

Cofiai glywed dynes yn siop Lewis yn holi am fwyd babi Cow & Gate, a'r siopwr yn estyn y bwyd babi hwnnw iddi. Ond naci, past dannedd Colgate oedd hi'n ei feddwl.

Roedd hynny'n reit ddoniol ond doedd 'na'm byd yn ddoniol am orfod chwarae negeseuon drosodd a throsodd. Efallai ei bod hi'n bryd iddi brynu peiriant ateb newydd. Neu fynd am brawf clust. Ond nefi wen, pam na allai'r rhain siarad yn arafach ar beiriant ateb?

Roedd ei gwaed yn dechrau berwi eto, felly aeth i wneud cinio i gyfeiliant Wynne Evans ar Radio Wales. Roedd hi wedi cael llond bol o glywed yr un hen leisiau a chaneuon ar Radio Cymru. 'Chydig o George Benson wrth bario tatws ac roedd hi'n teimlo'n well yn syth ... nes iddi edrych drwy'r ffenest a gweld y ddafad efo'r efeilliaid marw yn dal yno, heb symud, a'r galar yn ei hwyneb a'i hosgo fel dwrn.

Wythnos yn ddiweddarach, roedd y giatiau wedi eu hagor a'r caeau yn llawn acenion o bob cwr o Loegr a Wrecsam. Roedd Mr Arnold o Wallasey isio gwybod pryd fyddai'r gwair yn cael ei dorri, felly bu'n rhaid iddi gyfri i ugain cyn egluro ei bod hi wedi bod yn wanwyn hynod o wlyb ac roedden nhw'n addo glaw am sbel eto. Doedd Mrs Fletcher o Nottingham ddim yn gallu cael ei theledu i weithio, doedd y bobl newydd ar *pitch* 16 a 21 yn amlwg ddim yn gallu rifyrsio ac wedi rhwygo'r cae yn rhacs, ac roedd y Bradleys o Gaer yn wallgo am fod llygod wedi bod yn cnoi eu clustogau crand nhw dros y gaeaf. 'Well, I did tell you last year not to feed the birds ... especially not with half a stale loaf.' 'But we love watching them through the window!' *Gewch chi wylio'r llygod yn eu lle rŵan*, meddai Iola dan ei gwynt.

Wedyn, roedd merch 14 oed y Butlers o Coventry yn cael strancs ac yn gwrthod aros am nad oedd ganddi signal ffôn na WiFi. Rhyngddyn nhw a'u potes. Roedden nhw wedi cael cyfle i wirio'r signal pan ddaethon nhw i weld y lle fis Medi. Byddai'n gwneud lles i honno fynd am dro i'r coed neu i fyny mynydd yn lle bod â'i thrwyn yn sownd i'w ffôn dragwyddol; doedd 'na'm golwg iach arni o gwbl. Yn welw fel uwd ac arogl bisgedi *malted milk* arni.

O, a dacw Brenda o Leamington Spa yn dod draw fel gafr ar daranau, yn amlwg efo rhyw stori fawr hir arall. Hen hogan iawn, yn wên fel haul bob amser, ond doedd hi, fel cymaint o'r lleill, jest ddim yn dallt nad oedd gan Iola amser i falu awyr. Y rhai oedd wedi ymddeol oedd waetha; cymryd yn ganiataol bod gan bawb yr amser i eistedd ar eu tinau yn gwneud dim heblaw yfed eu *G&T's* drwy'r pnawn.

'Shwmai, Iola! Bore da! I've been learning Welsh on Duolingo all winter! I've been dying to practice it on you ... dwi moyn siarad Cymraeg! Was that right?'

'Well, yes, in south Wales. We don't say "moyn" round here.'

Brenda druan. Bron nad oedd dagrau yn ei

llygaid. Prysurodd Iola i'w chysuro nad oedd y ddwy dafodiaith mor annhebyg â hynny, a'i dysgu sut i ddeud 'isio'. Ond buan y diflannodd ei hamynedd. Doedd dim byd gwaeth na gorfod gwrando ar bobl fel Brenda yn manglo'r Gymraeg. Ond roedd 'na foi newydd wedi cyrraedd i rif 5, Cae Gwair, a dysgwr oedd hwnnw. Roedd o wedi bod yn ebostio mewn Cymraeg eitha da, beth bynnag. Soniodd wrth Brenda amdano.

'He'll have plenty of time to speak Welsh with you.'

'Siarad Cymraeg.'

'Be? O, *yes*. Ia.'

Ond erbyn i Iola gyfarfod y boi, roedd hi'n amlwg ei fod o'n well am sgwennu na siarad. Rob oedd ei enw o, wedi ymddeol yn gynnar, y diawl lwcus. Golwg mynyddwr arno fo, ac yn licio gwisgo trowsus cwta oedd yn dangos ei bengliniau hyd yn oed ar ddechrau mis Ebrill tamp fel hyn. Ond gan nad oedd ganddo goesau Robin goch, ac yn amlwg wedi bod dramor yn ddiweddar, roedd trowsus cwta'n ei siwtio fo. Fyddai Glyn druan byth yn dangos ei bengliniau.

Ymhen deuddydd, daeth Rob ati i gyhoeddi:

'Mrs Roberts, mae eich tŷ bach ar gau.'

'Y? Tŷ bach y dynion? Nacdi ddim. Alla i weld y drws o fama, ar agor led y pen.'

'Mae'n ddrwg gen i, "lled y pen?"' meddai Rob gan wyro ei ben i'r ochr. 'The width of a head?'

'Naci. *Wide open*!'

'O, idiom newydd! Diolch. Na, sori, mae'r tŷ bach ... ym ... oddi mewn ... yn ... caeedig.'

Be ddiawl mae hwn yn rwdlan rŵan? meddyliodd Iola.

'Be? Oes 'na blant wedi cloi drws un o'r ciwbicls o'r tu mewn eto? Mi flinga i'r diawlied.'

'Na!' meddai Rob gan graffu ar ei ffôn symudol, 'Mae o yn tagedig!'

'Y? Can't you just tell me in English?'

Dangosodd Rob ei ffôn iddi. Tudalen o *Geiriadur yr Academi* a dyna'r atebion gafodd o am y gair 'blocked'.

'O, mae'r toilet wedi blocio 'dach chi'n feddwl!'

'Ond dydi o ddim yn dweud "wedi blocio" yma ...' meddai Rob gan bwyntio eto at ei eiriadur. 'Ond mae "wedi'i dagu" yn gywir – edrychwch.'

Mi fydd hwn wedi'i dagu toc. 'Ond fel'na 'dan ni'n siarad rownd ffor'ma. Iawn, mi fydd raid i mi'i ddadflocio fo rŵan yn bydd. Diolch am roi gw'bod.' Cydiodd Iola yng ngoriad y stordy.

'Croeso, ond ... chi sy'n mynd i ddad-dagu fo?' Roedd 'na olwg boenus arno fo.

'Ia siŵr. Pwy arall?! Does 'na'm ffasiwn beth â thylwyth teg y toilet, sti ...' Doedd Glyn 'rioed wedi sgwrio'r pan yn lân ar ei ôl chwaith, ond roedd hi wedi trio dysgu Euros nad oedd ll'nau ar dy ôl yn gyfyngedig i'r hil deg.

Gwyliodd Rob hi'n estyn y Marigolds a'r bwced, yna estynnodd ei law allan.

'Na, mae gynnoch chi lawer o waith. Os gwelwch yn dda ...' Cydiodd yn y bwced a'r Marigolds ac i ffwrdd â fo. Ysgydwodd Iola ei phen. Doedd y boi ddim hanner call; ond doedd hi ddim yn mynd i'w rwystro fo.

Ar ôl o leiaf ugain munud, doedd o na'r bwced byth wedi dod 'nôl. *Mae'n siŵr bod y diawl gwirion wedi gwneud mwy fyth o lanast*, meddyliodd Iola, felly brysiodd i'r toilet dynion. A rhythu'n wirion. Dim ôl llanast yn yr un o'r tai bach ac roedd y lle i gyd yn sgleinio – y cawodydd, y sincs, bob dim.

'Mae eich ceg ar agor led y pen,' meddai Rob. Caeodd Iola ei cheg, yna'i hagor eto i ddiolch iddo.

Gwenodd yntau arni, oedi ac yna gofyn yn betrusgar, 'Un cwestiwn os gwelwch yn dda. Beth ydi ystyr "mi flinga i'r diawlied"?'

Ychydig ddyddiau yn ddiweddarach, pan oedd Iola'n tynnu bagiau o faw ci a bananas duon allan o'r bin ailgylchu, clywodd lais cyfarwydd yn pesychu y tu ôl iddi.

'Helô. Ym ... problem yn y tai bach dynion eto,' meddai Rob. Rhowliodd Iola ei llygaid.

'O, dyma ni eto. Pam fod pobl yn meddwl bod stwffio hanner tunnell o bapur i lawr y tŷ bach yn mynd i fflysho'u baw afiach nhw?'

'Na, y golau yw'r broblem. Mae'n neidio.'

'Neidio?'

'Ym ... dychlamu?' Cododd Rob ei aeliau. Cododd Iola ei haeliau yn ôl arno.

'Padyn?'

'Gwibio efallai?' Edrychodd Iola'n hurt arno felly dangosodd sgrin ei ffôn iddi eto. *Flicker* oedd y gair dan sylw y tro yma.

'O ... y *strip lighting* sy'n fflicran eto! Dwi angen newid y *starter*, mae'n debyg. A nag oes, does 'na 'm geiriau Cymraeg am *starters* na *strip lighting*, sorri.'

Gan ei fod o gymaint talach na hi, roedd o'n help mawr i dynnu'r hen *starter* a rhoi un newydd yn ei le. Byddai wastad yn cymryd oes iddi hi ar ei phen ei hun. Penderfynodd ei fod yn haeddu paned ganddi. Te, ddim yn rhy gryf, joch da o laeth a dim siwgr. Yn union fel byddai hithau'n mwynhau ei the.

Ymhen mis, roedd o wedi cael trefn ar y WiFi. Y byd yna oedd ei swydd o cyn iddo ymddeol, sef arbenigwr technoleg gwybodaeth. Na, doedd dim angen iddi ei dalu, roedd o'n falch o fedru helpu, ond awgrymodd y byddai cinio dydd Sul yn plesio'n arw. Wrth lwc, roedd y goes cig oen wedi ei choginio'n berffaith, 'A dyma'r Pwdin Efrog gorau i mi ei chael ... ei *gael* ... ers blynyddoedd.' Roedd o'n hapus iddi gywiro ei dreiglo hefyd, ac i'w galw'n 'ti' yn lle 'chi'. Felly daeth y cinio dydd Sul yn ddefod i'r ddau – ar ôl glanhau'r tai bach a'r cawodydd wrth gwrs, fo'n gofalu am y dynion a hithau'r merched.

Llwyddodd i'w pherswadio i fynd am dro i lan y

môr ar adegau tawel, rhywle nad oedd hi wedi bod ers i Euros basio'i brawf gyrru. Roedd hi wedi anghofio'r wefr a gâi o deimlo gwynt y môr ar ei hwyneb. Ac yn ddiweddarach, wedi i'r dŵr gynhesu, cytunodd i neidio i mewn i'r tonnau efo fo, a theimlo fel plentyn eto.

Pan gytunodd i rannu llofft efo fo mewn gwesty bychan yn Aberdaron, dysgodd fod bywyd yn gallu bod yn debyg i fyd y ffilmiau wedi'r cyfan.

Gyrrodd Iola selffi – *Naci Iola, hunlun* – ohonynt at Euros, a sicrhau hwnnw wedyn nad ar ôl ei phres hi yr oedd Rob, gan fod ganddo hen ddigon ei hun, diolch. A digwydd bod, roedden nhw newydd brynu tocynnau awyren i Auckland ar gyfer dechrau Tachwedd, wedi i'r maes carafannau gau.

"Dan ni'n mynd i logi un o'r campyrfaniau anferthol 'na. Mae'n gywilydd 'mod i'n cadw gwersyll ers cyhyd a 'rioed wedi bod mewn campyr-fan fy hun. Dwi'n mynd i ddeud wrth y cowntant mai trip ymchwil ydi o. A ddown ni heibio chi ryw ben, ia? Pan fydd o'n gyfleus i ti a Sophie. 'Dan ni'm isio bod o dan draed. A neith Nain ddod â llwyth o bresanta Dolig i Richie Mac, ia? Llwyth o lyfrau Cymraeg iddo fo gael arfer, rhag ofn y byddwch chi isio dod 'nôl yma rywbryd ...'

Ar ôl yr alwad aeth Iola ati i blannu coeden fach arall yn y cae o dan tŷ.

CAE CLATSIO

GERAINT LEWIS

Eisteddai Gruff ar gadair bren o flaen y tân agored yn lolfa'r Llew Du, yn diferu o frys diamynedd. Roedd e'n falch ei bod hi'n dawel yno. Byddai'n edrych yn od – Elgan ac ynte'n cael peint. Gwyddai pawb eu bod nhw'n casáu'i gilydd. Nid felly bu hi erioed, chwaith. Ugain mlynedd yn ôl, pan oedd y ddau'n hoelion wyth tîm rygbi'r dref, doedd dim modd gwahanu Gruff Cwrtycadno ac Elgan Waun Fawr. Dau ail reng a'u breichiau o gwmpas ei gilydd, yn reddfol bron, yn cadw golwg ar ei gilydd drwy'r gwynt a'r glaw, y da a'r drwg. Ond erbyn hyn, roedd y ddau gymydog wedi dod yn elynion ac wedi cloi eu hunain mewn sawl ymladdfa ddigon brwnt, gydag Elgan yn ennill y mwyafrif ohonynt – yn enwedig ers iddo gael ei ethol yn Gynghorydd Sir.

Syllodd Gruff ar fflam gyson y lle tân wrth gwpanu'r gwydr peint oedd bron yn wag yn ei ddwylo anferth. Anadlodd huddygl mân y mwg i mewn, gan fwynhau ei lymder cyfarwydd. Roedd e newydd orffen bwyta coes gyfan o gig oen. Sgleiniai ei fochau seimllyd yn adlewyrchiad y fflamau, yn wlyb â boddhad. Yfodd weddill ei beint gan dynnu'r het gowboi bant cyn sychu'r chwys oddi ar ei dalcen â llawes ei got Barbour. Rhoddodd chwerthiniad bytheiriol i'w het, fel rhywun hanner call a dwl.

Heblaw am ambell besychiad o gyfeiriad yr hen le tân, roedd y lle'n dawel, a'r cloc yn llusgo'i fysedd at chwech o'r gloch ar noswaith heriol o oer yn Ebrill. Roedd y barman, Dai, wedi mynd lawr i'r seler. Ers i Sioned, gwraig Gruff, fynnu ei fod yn mynd ar ddeiet, roedd wedi dod i ddealltwriaeth fach gyda Dai ei fod yn cael ambell ddarn o gig ar y slei. Doedd gan Dai fawr o ddewis. Gwyddai fod rhaid iddo gadw Gruff Cwrtycadno'n hapus.

Pan ddaeth Dai 'nôl lan i'r bar sylwodd Gruff ei fod yn cario rhaw fawr. Gŵr bychan, crwn oedd Dai ac roedd y rhaw bron gymaint ag e.

'Wna i jest clirio dom dy geffyl di,' meddai'n swta, gan anelu at y drws ffrynt.

'Rho fe i'r rhosys yn yr ardd gefn. Mae pris gwrtaith wedi mynd drwy'r to.'

'Mae pris popeth wedi mynd drwy'r to, Gruff. Maen nhw'n beio Putin a'i ryfel. A chyn hynny, y pandemig o'dd yn cael y bai.'

Gadawodd Dai hi'n fan yna. Wnaeth e ddim meiddio ychwanegu unrhyw sylw am fethiannau Brecsit. Fel nifer o'r ffermwyr lleol, roedd Gruff wedi pleidleisio i adael yr Undeb Ewropeaidd. Roedd e'n enwog am golli ei dymer mewn dadleuon a chafodd ei wahardd o dafarn y Plough am ddyrnu un o'r selogion mewn dadl. Roedd tymer y diawl ganddo a gallai fflipio'n sydyn. A phan fyddai hynny'n digwydd, nid oedd hi'n hawdd atal nerth dyn chwe throedfedd tair modfedd oedd yn pwyso dros ugain stôn.

'Beth yw dy freuddwyd di, Dai?' gofynnodd. Oedodd Dai ar bwys y drws ffrynt, wedi rhyw hanner glywed y cwestiwn.

'Beth?'

'Dim ots,' meddai Gruff, mymryn yn brudd. Trodd ei olwg 'nôl at y tân gan dwymo'i ddwylo. Gwyddai'n iawn beth oedd ei freuddwyd ef. Pe bai'n chwarae ei gardiau'n iawn heno, gallai'r freuddwyd droi'n realiti.

Pan oedd e'n ei arddegau, roedd gan Gruff obsesiwn â *go-karts*. Bob pnawn Sadwrn arferai ddal y bws i Gaerfyrddin i barc Megakarts i gael ei chwistrelliad o adrenalin. Ac ynte 'nghanol ei bedwardegau erbyn hyn, byddai'n aml yn edrych 'nôl ar luniau o'i wyneb ifanc, llawn brychni, ei wallt coch, hir yn dianc o dan yr helmet las golau, yn gwenu wrth anwesu olwyn lywio ei annwyl Honda. Roedd wrth ei fodd â'r trac. Y troeon pin gwallt a'i bont o dwnnel, ei lonydd llydan oedd yn ddelfrydol ar gyfer pasio certi eraill. Mwy na dim, carai sŵn y peiriannau'n suo fel pryfed anferth drwy'r mwg mân, olewog.

Ond pan oedd yn ddwy ar bymtheg oed, cafodd ryw hyrddiad anghyffredin o dyfu, bron i chwe modfedd mewn blwyddyn. Gadawodd hynny farciau coch fel siâp pennau gwaywffyn ar hyd ei asgwrn cefn. Er iddo barhau i fwynhau'r certio, roedd e wedi tyfu'n rhy fawr i'r cerbydau. Hyd yn oed ar ôl addasu'r sedd teimlai'n lletchwith. Trodd ei sylw at ralio ceir a gweithiodd hynny'n iawn i gyflenwi ei flys am adrenalin am bron i flwyddyn. Ond wedi iddo ef a'i gyd-yrrwr, Ianto Ffosfelen, gael damwain ddifrifol yn eu Audi Quattro, perswadiodd ei fam iddo ymuno â'r tîm rygbi lleol yn lle hynny.

Ers y dyddiau cynnar hynny, roedd rhyw chwilen yn ei ben i gael trac ar y fferm. Ond roedd gas gan Gwilym Cwrtycadno, tad Gruff, unrhyw sôn am arallgyfeirio. Byddai'n trin y gair fel rheg. Parhaodd Gwilym i gyflawni'r hyn roedd ei dad wedi ei wneud cyn ynte, a'i dad-cu cyn hynny, ond gydag offer mwy safonol a chyfoes. Chwarddai'n agored ar ben rhai o syniadau blaengar ei fab – a thrac certi yn un ohonynt.

Roedd llwyth o syniadau eraill ganddo hefyd. Melin wynt neu ddwy, er enghraifft. Roedd wedi rhoi cynllun busnes deche at ei gilydd, wedi cyflawni'r ymchwil angenrheidiol. Unwaith byddai'r tyrbinau yn eu lle, byddai'r arian yn llifo i mewn. Ond doedd gan ei dad ddim diddordeb. Cynigiodd Gruff fagu ffesantod. Codi crocbris ar ryw grachach o Saeson i gael sbort gyda gynnau. Unwaith eto, ymateb negyddol a gafodd gan ei dad. A'r un ymateb rhwystredig a gafodd i'w syniad o gyfnewid eu ceffylau am rai rasio. Gallen nhw fynd yn eu blaenau i fagu enillwyr o safon, gyda'r gobaith o droi'r lle yn stabal bridio pencampwyr go iawn. Byddai hynny'n dod ag arian mawr. Ond na. Yr un diwn gron ddaeth o gyfeiriad ei dad. Roedd hi fel siarad â'r wal. Ac ychydig o flynyddoedd yn ôl, ac ynte'n chwe deg naw oed, bu farw Gwilym Cwrtycadno yn sydyn o drawiad ar y galon. Ni fyddai Gruff byth yn cyfaddef hynny, ond fe deimlodd ryw fymryn o ryddhad. Roedd yn rhydd i fentro â'i freuddwyd o'r diwedd.

Dirywio wnaeth Cwrtycadno yn nwylo Gruff tra bod fferm ei gymydog, Elgan Waun Fawr, yn ffynnu. Cofleidiodd Elgan arallgyfeirio fel cariad newydd. Trawsnewidiodd ddau hen gae yn barc i dros wyth deg o garafannau statig, pob un wedi ei gosod yn chwaethus. Carafannau lliw gwyrdd neu lwydfelyn yn unig, ar lefelau gwahanol, yn asio i'r cefndir gorau y medrent. Adeiladwyd llyn trawiadol oedd yn cynnig gweithgareddau fel canŵio a chychod pedal i blant. Ychwanegwyd hwyaid, bron fel addurniadau, a bonws annisgwyl oedd ambell ymweliad busneslyd gan grychydd cam.

Ond er i Elgan leihau stoc y fferm deuluol a fu'n ffermio defaid Cymreig ers cenedlaethau, cynyddu wnaeth ei statws fel unigolyn. Safodd fel Cynghorydd Sir yn ward Pengelli Is-clawdd. Fel ymgeisydd annibynnol, wrth reswm. Enillodd y mwyafrif sylweddol ac roedd wrth ei fodd â'i statws newydd fel gwleidydd uchel ei barch. Ac fe aeth y pŵer i'w ben pan sylweddolodd fod ganddo gryn ddylanwad, yn enwedig pan lwyddodd i fod yn Gadeirydd ar y Pwyllgor Rheoli a Chynllunio.

Aeth Gruff tu ôl i'r bar a thynnodd beint iddo'i hun. Clywodd y drws ffrynt yn cau a daeth Elgan i mewn. Edrychodd Gruff arno. Roedd e dal yn fastard golygus, er gwaethaf egin britho ei wallt du, yn debyg o ran golwg i Liam Neeson iau. Gwisgai got hir ddu, wlanog ac esgidiau hirion, ac roedd ganddo het ag ymyl ffwr yn ei law oedd yn gwneud iddo edrych ychydig fel Cosac.

'Ti'n gweithio tu ôl i'r bar, nawr 'te?!' meddai Elgan yn gellweirus.

'Dim pawb sy'n gallu tynnu cyflog fel Cynghorydd Sir ar ben popeth arall,' atebodd Gruff yn swrth.

'Dere â pheint o chwerw i fi 'fyd 'te,' meddai Elgan, gan anwybyddu ei sylw. Tynnodd Gruff beint gan osgoi llygaid ei hen gyfaill. Roedd hi'n amlwg fod Elgan yn ceisio esmwytho'r tyndra rhyngddynt.

''Sa i'n credu fod dy geffyl di'n lico bod e 'di ca'l ei glymu i'r rac beics,' meddai. Nodiodd Gruff. 'Ma'n un pert. Faint yw e? *Sixteen hands*, bownd o fod?'

'*Seventeen*. Ma isie fe fod yn fowr i gario lwmpyn fel fi.'

'Ha! Ti 'wedodd e! Iechyd da!' meddai gan roi papur deg ar y bar. Ar hynny, dychwelodd Dai i'r lolfa drwy'r drws cefn. Roedd golwg bryderus arno pan welodd fod y ddau gymydog wedi closio o amgylch y tân i drafod yn dawel. A fyddai'n gallu ymddiried ynddynt? Roedd ganddynt hanes hir, cythryblus a threisgar. Y ddau'n berwi o genfigen at ei gilydd ers blynyddoedd, yn nhyb Dai.

'P'idwch bod yn rhy hir 'te, bois. Bydd y criw darts yn dechre dod 'ma tua saith. Ma gêm heno yn erbyn Black, Llambed.'

Drachtiodd y ddau eu peintiau heb fawr o sgwrs, ond roedd Gruff yn awchu am ofyn y cwestiwn i Elgan.

'Wel, be ti'n feddwl o'r cynllun, 'te?' gofynnodd yn llawn tyndra.

'Fel ma pethe'n sefyll, 'wy'n credu geith dy gais di ei wrthod,' atebodd Elgan yn blwmp ac yn blaen, fel pe bai'n mwynhau gweld ei gyfaill o elyn ar bigau. Chwythodd Gruff yn drwm drwy'i drwyn a'i ffroenau'n ffromi fel tarw sarrug.

'Dere, Elgan bach, fyddet ti'n gallu pwsio fe trwyddo, 'se ti moyn. Ma'r *independents* 'da ti a lot o gang Plaid yn dy boced di 'fyd. Ma pawb yn gw'bod 'ny.'

'Ond fydda i ddim 'na i gadw golwg ar bethe.'

'Paid siarad dwli. Ti yw'r Cadeirydd, achan.'

'Ma 'da fi *conflict of interest*. A beth bynnag, fel mae'n sefyll nawr, bydde rhaid i fi wrthwynebu'r cais.'

Edrychodd Gruff arno'n anghredadwy.

'Blydi basdard!' meddai, gan boeri'r geiriau trwy'i ddannedd.

'Gwranda arna i, yn gynta! Gwrthwynebu oherwydd dou beth. Sŵn, a niweidio'r amgylchedd.'

'Pa blydi sŵn?'

'Dere, y sŵn o *engines* y carts, achan. Bydd e'n cario reit lawr drwy'r cwm.'

'Ond bydde rhan fwya' o'r trac tu fewn! Ofan ypsetio dy garafanwyr bach delicet wyt ti?' gofynnodd Gruff yn sbeitlyd.

'Na. Dyw 'na ddim yn ffactor. Byddet ti'n stopo am saith y nos, yn ôl dy gynlluniau, ta beth.'

'Beth o'dd dy gŵyn arall di? O ie, yr amgylchedd,' meddai Gruff gan rolio ei lygaid.

''Wy'n gwybod falle bod e ddim ar ben dy restr blaenoriaethe di, ond mae'r amgylchedd yn bwysig iawn yn yr oes sydd ohoni. Yr elfen bwysica' mewn unrhyw gais cynllunio dyddie 'ma – os ti moyn arallgyfeirio.'

'Licen i arallgyfeirio dy drwyn di! Beth am yr holl lygredd ma dy garafanwyr *posh* di'n dod i'r cwm 'ma?!'

'Dere nawr. Cŵl hed. A ta beth, ceir trydan sy' 'da lot ohonyn nhw a ma 'da fi *chargers* trydan draw 'na.'

'Cnycha bant, Elgan! O'n i'n gwybod allen i ddim dibynnu arnot ti.'

''Wy 'ma i helpu ti. Wir i ti, Gruff. Alla i dy helpu i gryfhau'r cais.'

'Pam fyddet ti moyn 'neud 'ny?'

'Achos 'wy moyn bod yn rhan o'r datblygiad 'ma. "Cwrtycadno Carts". Ma rhyw *ring* iddo fe, whare teg. 'Wy'n licio'r syniad,' ychwanegodd Elgan.

'Ti'n lico fe gym'int, ti'n mynd i floco fe fel cymydog!' meddai Gruff a'i wyneb yn goch erbyn hyn.

'Fydd 'na 'm angen iddi ddod i 'ny. 'Wy moyn i ni 'neud e fel menter ar y cyd. Ffurfio cwmni 'da'n gilydd. Ac os 'newn ni whare'n cardie'n iawn ...'

'Ni?' Sylwodd Elgan ar yr olwg syn ar Gruff.

"Wy o ddifri'. Ma 'da fi'r ateb i'r ddwy broblem. Ma fe'n syml. Carts trydan.'

Gafaelodd Gruff yn rhimyn ei het gowboi yn dynnach a'i chrychu â'i fysedd trwchus. Aeth Elgan yn ei flaen, gan fagu momentwm â phob gair. 'Llai o sŵn – ac yn well o lawer i'r amgylchedd.'

'Ond ddim hanner gym'int o sbort. A'n ddrud uffernol.'

"Na lle fydden i'n gallu helpu. Dod ag arian i'r ford. Y ddou hen ail reng fel tîm unwaith 'to.'

Cydiodd Gruff yn y procer.

'Paid 'neud dim byd dwl, nawr,' meddai Elgan yn dawel. Ond roedd Gruff wedi codi o'i gadair ac wrthi'n procio'r tân. Sgrialodd y gwreichion lan y simnai. Gafaelodd mewn boncyff o'r crochan coed a'i daflu'n egr i'r fflamau cyn syllu'n fud ar y gwreichion yn diflannu.

'Gethon ni sawl gêm hwyr o bocer fan hyn,' meddai Gruff o'r diwedd.

'Do, glei. Ife 'na pam o't ti moyn cwrdd 'ma?'

'Ie, siŵr o fod. Rhyw dir canol. Niwtral.'

'Beth ti'n meddwl o 'nghynnig i 'te, Gruff?'

'O'dd hi wastad yn anodd dy ddarllen di mewn gêm o bocer,' meddai, cyn ychwanegu dan ei wynt, 'Chwaraewr bach slei.'

'Dy broblem di yw bo' ti'n edrych 'nôl drwy'r amser. Y dyfodol sy'n bwysig nawr.'

Trawodd ei eiriau fel ergydion gwn. Dyna'r union beth yr arferai Gruff ddweud wrth ei dad. Ei fod e'n byw yn y ganrif anghywir, yn anfodlon symud gyda'r oes, yn gwrthod moderneiddio. Am eiliad dychrynodd wrth bryderu ei fod e'n mynd yn rhy debyg o lawer i'w dad.

'Dyw trydan ddim yn gym'int o sbort. Ti ffili mynd mor glou,' meddai, wedi iddo gymryd sawl llwnc o'i gwrw i'w sadio.

'Ti'n gallu mynd yn glou. Ma'n dibynnu ar y *voltage* yn y batri,' eglurodd Elgan.

'Ond fyddet ti'n gorfod cario rhywbeth trwm fel 'na rownd 'da ti. Yn dy arafu. A gorfod arafu mwy 'to tua'r diwedd, siŵr o fod, wrth i'r batri golli *charge*.'

'Paid penderfynu nes i ti ddarllen y ffeithie. Fe ddo' i â chatalog carts trydan i ti gael gweld y dewis sy' ar gael. Ma nhw'n ...'

'Na!' torrodd Gruff ar ei draws, gan godi ei lais.

Sylwodd ar gysgod Dai wrth y fynedfa i'r bar. 'Cadwa di mewn fan 'na, y brych!' gwaeddodd arno.

''Sdim isie bod yn gas nawr, Gruff, o's e?'

'Nago's. Ti'n iawn. Allwn ni setlo'r mater 'ma mewn ffordd anrhydeddus,' meddai.

Tro Elgan oedd hi i edrych yn syn nawr, er, roedd ganddo deimlad o'r hyn oedd gan Gruff mewn golwg.

'Paid bod yn ddwl,' meddai, 'ma'r ddou o' ni'n ganol o'd nawr, achan. Yn wŷr priod â phlant. Yn ddynion teulu parchus.'

Erbyn hyn, roedd Gruff wedi codi ar ei draed eto, yn wyllt y tro hwn.

''Na'r unig ffordd i setlo hyn. Wela i ti yng Nghae Clatsio, pnawn dydd Gwener, pedwar o'r gloch,' meddai cyn yfed gweddill ei beint ar ei ben.

'Ond mae'n Ddydd Gwener y Groglith dydd Gwener ...' dechreuodd Elgan, ond roedd Gruff eisoes wedi torri ar ei draws gyda golwg benderfynol ar ei wep.

'Gorau oll, Mr Cynghorydd. Pwy bynnag enillith, naill ffordd neu'r llall, allwn ni gael ein *Good Friday Agreement* ein hunain.'

Aeth Gruff allan ac roedd ar gefn ei geffyl o fewn munudau.

Y dydd Gwener canlynol gyrrodd Gruff ei dryc Toyota glas i le a adnabu'n dda. Lleoliad a fynychodd gryn dipyn yn ei ieuenctid, rhyw ddwy filltir tu fas i'r dref. Nid oedd unrhyw reswm i rywun fynd yno gan fod yr hewl yn dod i ben mewn *cul-de-sac*. Lle preifat iawn. Yn ddelfrydol ar gyfer affêr. Neu ffeit.

Enw answyddogol y lle oedd Cae Clatsio. Hanner canrif yn ôl roedd yno hostel o ryw fath, ond roedd yr adeilad bron yn adfail erbyn hyn, er bod y waliau cerrig yn ddigon uchel i guddio beth bynnag fyddai'n mynd 'mlaen yn y cae tu cefn iddo. Dyma'r lle i setlo unrhyw anghydfod ers degawdau, canrifoedd, efallai. Lle anrhydeddus, ym marn Gruff.

Roedd gan bobl yr ardal draddodiad hir o ddatrys pethau yn eu ffordd fach eu hunain, gan gynnwys Elgan a Gruff. Pan oedd Gruff yn ei dridegau cynnar, dywedodd rhyw dderyn bach wrtho fod Elgan wedi bod yn cwna o gwmpas ei chwaer, Bronwen, a hithau newydd briodi. Rhoddodd grasfa i'w chofio i Elgan yng Nghae Clatsio. Cadwodd Elgan ei bellter o Bronwen wedi hynny.

Yn yr un modd, daeth Elgan i wybod fod Gruff, fel Dirprwy Drysorydd y rasys ceffylau lleol, wedi 'ad-drefnu' peth o arian gwobrau'r rasys. 'Dwgyd' oedd cyhuddiad Elgan, honiad a wadwyd yn llwyr gan Gruff. Unwaith eto, setlwyd y mater yng Nghae Clatsio, a'r tro hwn, Elgan oedd yn fuddugol. Y diwrnod canlynol, ymddangosodd y tair mil a 'fenthycwyd' 'nôl yng nghyfrif y rasys.

Mater o anrhydedd oedd e, cadw at eich gair. Colli gwaed er mwyn ennill parch. A byddai neb byth yn cysylltu â'r heddlu. Os byddai rhywun yn gwisgo sbectol haul i guddio llygad ddu, neu'n cloffi wrth gerdded am gyfnod, byddai neb yn meiddio holi pam.

Edrychai Gruff ar y trefniadau hyn fel gornestau ffurfiol yr oes a fu, fel *duels*, lle byddai gwŷr bonheddig yn dod i 'ddealltwriaeth'. Mater o anrhydedd. Roedd yn drefn cyfiawnder tecach, a byddai'r cyfranogwyr, boed ennill neu golli, yn cael eu hedmygu jest am droi lan. Roedd Gruff wastad wedi licio'r hen syniad hwnnw o degwch, syniad oedd yn deillio yn y pen draw o ymddiriedaeth. Dyna pam y gwyddai'n iawn y byddai Elgan yn dod, er gwaethaf yr hyn ddywedodd. Wedi'r cwbl, roeddynt yn ddynion anrhydeddus.

Camodd Gruff mas o'i dryc a rhoi un edrychiad hir o'i gwmpas, rhag ofn bod rhywun arall wedi mentro i'r un lle iasol ar bnawn Dydd Gwener y Groglith. Rhwtiodd ei ddwylo gyda'i gilydd, gan deimlo'r oerfel. Ceisiodd ddyfalu a fyddai Elgan yn tynnu ei grys bant ar ddiwrnod mor oer. Byddai'n arfer gwneud hynny cyn ymladd – er mwyn cadw ei grys yn glir o staeniau gwaed yn ystod yr ymrafael, yn ôl Elgan, ond doedd Gruff ddim yn credu hynny. Yn hytrach, gwyddai'n iawn mai ymgais i ddychryn ei wrthwynebydd oedd hynny drwy arddangos ei holl gyhyrau.

Edrychodd i gyfeiriad yr hewl gul, droellog. Doedd dim sôn am Range Rover du Elgan eto. Sylwodd ar farcud uwch ei ben yn ei amgylchynu ac wrth edrych i fyny ato, teimlodd ryw frwdfrydedd newydd yn llifo trwy'i gorff. Gwyddai'n iawn y byddai *Cwrtycadno Carts* yn llwyddo. Apêl eang oedd allwedd ei lwyddiant. Nid cadw'r peth i dwristiaid yn unig – mae digon o'r rheiny i'w cael ffordd hyn, diolch i Elgan. Denu dynion lleol i brynhawniau stag, cyfarfodydd hwyliog i gwmnïau corfforaethol, partïon pen-blwydd i bob oedran, dyna oedd ei fwriad. Roedd e eisoes wedi prynu wyth o gerti bach cadét i blant. Prynodd nhw'n ail-law am nesa' peth i ddim gan Megakarts o Gaerfyrddin ei ieuenctid. Cafodd fargen a hanner, a dyna reswm arall pam na allai fynd am gerti trydan – roedd e wedi dechrau buddsoddi'n barod ac wedi ymrwymo i'r certi peiriannau traddodiadol.

Am bum munud wedi pedwar sylwodd ar gerbyd du yn dod lan yr hewl yn y pellter.

O'r diwedd. Gwyddai'n iawn y byddai Elgan yn anrhydeddu eu cytundeb.

Teimlodd Gruff y cwlwm arferol cyn ymladd yn cnoi yn ei fola. Er ei fod yn defnyddio'r cwdyn paffio yn y sied wair o bryd i'w gilydd, gwyddai nad oedd yn fachan ifanc rhagor. Roedd e'n pwyso gormod hefyd. Ceisiodd ganolbwyntio. Y pen a'r meddwl sy'n bwysig i ennill unrhyw ornest. Roedd e mor benderfynol o guro Elgan. Doedd dim modd iddo fynd yn drydanol na chydweithio gyda'r llo. Roedd rhaid iddo ennill. Wedyn, byddai rhaid i Elgan dynnu ei wrthwynebiad yn ôl a defnyddio'i safle fel Cadeirydd a Chynghorydd

Sir i helpu Gruff â'i gais. A byddai Gruff yn cael byw ei freuddwyd.

Wrth i'r cerbyd agosáu, gwelodd mai VW Passat Estate Dai oedd yno. O fewn munudau, roedd Dai wedi troi'r car rownd yn barod ar gyfer ymadawiad clou. Mentrodd y dyn bach mas o'r car gan adael drws y gyrrwr ar agor a'r injan i redeg. Taflodd fag oren Sainsbury's at draed Gruff. Yn synhwyro siom a chynddaredd Gruff, dywedodd Dai mewn llais dewr,

'Jyst y negesydd y'f i. 'Wedodd Elgan y cei di gadw'r gyllell a bod digon o rai erill 'da fe, rhai mwy o seis.'

Ysgyrnygodd Gruff fel ci. Rhuthrodd Dai 'nôl i'w gar a gyrru ymaith fel cath i gythraul.

Teimlodd Gruff y cwlwm yn ei fola'n newid o un eang, pryderus i un tyn, rhwystredig, llawn dicter. Roedd am gicio'r bag i ffwrdd, ond fe'i trechwyd gan ei chwilfrydedd. Estynnodd amdano a'i agor yn wyllt. Gwelodd gatalog sgleiniog certi trydan, un *hot cross bun*, pecyn bychan o fenyn Flora, napcyn papur gwyn ... a chyllell finiog. Cyllell ar gyfer torri'r fynen a rhoi menyn arni, tybed?

Heb os, roedd rhoi cyllell yn anrheg iddo'n gwbl fwriadol a dadleugar.

Rhybudd.

Ni chlywodd Gruff erioed yn holl hanes yr ymladd yng Nghae Clatsio am unrhyw un yn defnyddio arf. Dyma neges gan Elgan y byddai'n fodlon ymladd yn frwnt pe bai angen, a bod y byd wedi newid. Roedd fel petai Elgan un cam ar y blaen iddo bob tro.

Eisteddodd ar y wal isel o flaen yr hen adeilad. Torrodd y fynen yn ei hanner a thaenu trwch o'r Flora ar y ddau ddarn. A oedd Elgan yn iawn, wedi'r cwbl? A ddylai gymryd sylw o'i gyngor? Roedd Elgan yn gallu tynnu sawl cortyn, doedd neb yn amau hynny. Ond a oedd Gruff yn fodlon bod yn byped iddo?

Na, ni fyddai byth yn gallu cyfaddawdu. Roedd mwy nag un hen gynnen wedi creithio tir anial Cae Clatsio rhyngddo ef ac Elgan. Roedd rhaid iddo gadw at ei gynllun. Roedd e wedi aros digon hir.

Cnodd i mewn i'r groes ar y fynen yn awchus. Gwenodd wrth feddwl am sŵn trwchus, olewog y peiriannau wedi ei gymysgu'n blith draphlith â chwerthin plant. Byddai'n llwyddo rywsut. Gallai ynte chwarae'n frwnt, os oedd rhaid, meddyliodd, â'r gyllell yn ei law.

YN Y FAN A'R LLE

ELEN HANNAH DAVIES

Clymodd Mair ei ffedog fel cortyn bêls am ei chanol wrth i'r olew ar y ffriwr ddechrau poeri ei wres. Roedd hi'n fore ffres a'r lleithder ar flaen ei thrwyn yn brawf o'r oerni. Bore digon cynnar oedd bore mart ac roedd bod yno, yn barod i fynd cyn i'r praidd gyrraedd, yn hollbwysig iddi. Sgleiniodd y *stainless steel* wrth i'r haul godi'i ben a'r cownter wedi ei drefnu mor dwt â'r minlliw ar ei gwefus.

Roedd mart Castell Newy' yn tueddu i fod yn brysur a phobl yn barod iawn i wario'u harian ar fwyd, os nad ar ddim byd arall. Gwenodd. Pwy fyddai'n galw heibio heddiw, tybed? Estynnodd am y basin siwgr a'i osod rhwng yr Heinz a'r HP ar y ford fach blastig. Gallai glywed yr arwerthwyr yn dechrau trafod a threfnu. Teimlodd gyffro'n cronni'n ei bol. Gosod y llwyau te oedd y jobyn nesa', y finegr a'r halen, cyn sgwaru trwch o fenyn ar y rôls yn barod. Peth rhyfedd oedd mart, meddyliodd. Y mynd a'r dod, y prynu a'r gwerthu, neb yn cadw gafael ar ddim byd yn hir. Rhoddodd ddeg litr o ddŵr i ferwi yng nghefn y fan cyn pwyso ac edrych allan ar y safle agored. Roedd hi wrth ei bodd yn gweld y ffermwyr yn cyrraedd fesul un, heb yn wybod a fyddan nhw'n lwcus y diwrnod hwnnw ai peidio.

Yn hawlio'i le ar ochr chwith y mart roedd Trefor yn barod i ollwng ei lwyth. Trefor 'Williams' i'r rhai fyddai'n gofyn, ond 'Tref Tyn' i'r rhai fyddai'n ei nabod. Roedd y sŵn o'r trelar mor wyllt â'i barcio ac injan y Daihatsu yn crynu gan henaint. Neidiodd o'r jîp bach a *drover* wrth law yn barod i'w helpu.

'Shw' wyt ti heddi, 'machgen i?' Agorodd Tref gefn y trelar – roedd cryfder tarw yn ei freichiau tenau.

'Go lew, diolch Tref, a chithe?'

'Wel, fi 'ma heddi 'to!' a chwarddodd yn ddwl cyn cael pwl dwlach o beswch a bwldagu. Gwenodd y crwt ifanc a siglo'i ben. Yr un oedd Tref bob wythnos.

'Ma shw'od well i chi fynd ambyti'r peswch 'na. Fi 'di gweud 'thoch chi o'r bla'n,' mentrodd y *drover* wrth agor yr iet ar gyfer y defaid.

'I beth?' diawlodd. 'Ca'l ciw'o yn y syrjeri 'na am orie a dala mwy o blydi jyrms No thanciw!' meddai. 'Dished o de fach nawr a fydda i fel poni.'

'Chi 'di 'neud test yn ddiweddar, 'de?'

'Test beth? Fi bach yn hen i ga'l babi nawr, so ti'n meddwl?!' Chwarddodd eto a'r catâr i'w glywed yn corddi yng nghorn ei wddw. 'What doesn't kill you makes you stronger, 'na beth ma nhw'n ei 'weud, ontife?'

Tasgodd y defaid fel ffyliaid o'r trelar, yn gawl potsh ar ben ei gilydd i gyd.

'lysu, Tref, ma rhein yn falch ca'l mynd wrthoch chi, weden i.'

'Grynda 'ma, gw'boi,' cododd Tref ei gap DeWalt, 'bydda i'n falchach ca'l 'u gwared nhw.' Parhau i chwerthin wnaeth y *drover*. Roedd cenhedlaeth Tref yn gomic o gwmni.

'Ma blydi gwaith wrth y diawled, paid siarad â fi. Pwy fage blant ma nhw'n 'weud, ontife? Pwy fage ddefed, glei!' Carthodd ei wddw a phoeri'r fflem i'r llawr cyn hercian yn gloff i'r Daihatsu i wneud lle i'r trelar nesa'. Roedd sawl un wrth gwt ei gilydd erbyn hyn a'r trefnwyr yn cael gwres eu traed wrth ddosbarthu'r rhifau a chofnodi'r holl fanylion.

Yn ymgynnull wrth y fan fwyd roedd yr *early birds* arferol: Keith Tŷ Canol, Gwynfor Cefn Isa', Islwyn Maes Hyfryd a Huw Ffynnon Graig. Roedd y pedwar fel ieir yn clochdar ben bore am hwn, llall ac arall. Roedd y browlan yn bwysig, yn bwysicach na'r bidio, yn aml iawn. Clustfeiniodd Mair yn ofalus wrth baratoi paneidiau'r pedwar. Câi wefr o wrando ar eu siarad bras: y dwli a'r diawlo, y cario clecs a'r cwyno, y rhegi a'r rhybuddio. Gwyddai eu cyfrinachau i gyd. Ond byddai hi byth yn ailadrodd dim. Roedd hi'n rhy ffyddlon i hynny.

'Ges i diced 'da'r diawl, tyl, sefnti pownd!' Roedd yr hen Gwynfor wedi cael cam, fel arfer.

'Pryd?'

'Fan hyn, w'thnos dd'wetha!' meddai'n goch-biws a'r tri arall yn glustie i gyd. 'Weles i'r boi yn hwpo fe ar y *dash,* a wedes i, "wow, wow, wow, hang on now, gw'boi. I don't understand the blinking machine, and anyway, I don't have the contacts to pay for it" ... Ch'mod, yr hen *thing* newy' 'na.'

'O, yffarn dân, ges i ffwdan 'da hwnnw bore 'ma,' ychwanegodd Keith at y cwyno.

'Ma fe'n well na treial cofio pin number! Fi'n ffeindio fe'n ddigon rhwydd 'de, i weud y gwir 'thoch chi.'

'O! Byddet ti, Huw. Ti gyment â 'na'n fwy mla'n na ni 'da'r *technology* 'ma, tyl. Ma'r *grandchildren* yn cadw ti'n ifanc, 'sbo!'

Chwarddodd y pedwar a'r stori'n ymestyn wrth yr eiliad.

'Wa'th na 'ny wedyn 'de. Wedodd y diawl wrtha i bo' fi'n lwcus. "Wel, I don't feel very lucky galla' i fentro gweud 'thot ti," wedes i wrtho fe. "You've taken up two spaces," medde fe, "one with your pick-up and one with your trailer, so technically I should've given you a £140 fine."' Gorliwiodd Gwynfor. '"Technically, I should give you one right now," bues i byti gweud wrtho fe – fe a'i Sisneg Llunden.' Wfftiodd yn ddramatig a'i ddyrnau'n wyn wrth ail-fyw'r profiad. 'Meddyliwch! Hundred-and-forty-pounds am dropo cwpwl o dda off yn y mart!'

'Daylight robbery, achan! Bydde dim point bo' ti 'di dod i'r mart, bois bach,' cefnogodd Keith unwaith yn rhagor.

'O'dd dim point dod eniwe am y pris ges i am y da 'na. Rhwng bo' pris y bwyd a'r *fertiliser* 'di dwblu, ges i ddim lot fwy na "thanciw" amdanyn nhw, 'llai fentro gweud 'thoch chi.' Aeth Gwynfor yn ei flaen, 'A bydda i 'run man w'thnos 'ma 'to os 'na wytsha i, achos ges i ddim o'r blydi *machine* i weitho heddi 'to.' Cymerodd saib, cyn ychwanegu'n ddisymwyth, 'Ond peidwch â mynd i sbredo hwn nawr, 'sa'i 'di mentro gweud 'thi hi 'co 'to.' Teimlodd Mair anrhydedd. ''Hwthodd Sulwen ffiws pan ges i 'nala'n *speedo* 'sha Pencader, bydda i'n starfo am fis arall os geith hi w'bod am hwn 'weth.'

''Na beth yw bois yr *offices* 'ma i ti, tyl, deall dim ambyti *practicalities* cefn gwlad. Ma digon o hen sdres arall 'da ni, heb orfod colli cwsg am y blydi parco 'ma 'fyd.' Roedd Islwyn hefyd wedi cael cam rhywdro, doedd dim amheuaeth, dim ond fod mwy o bwysau ar Gwynfor i gyfadde' a bod yn atebol i'w wraig.

'Ma nhw'n gweud taw 4G yw nhw, tyl, y *machines* hyn fydd 'da ni ym mhob *car park* nawr, glei,' ymunodd Huw yn *Pawb a'i Farn* y peiriant parcio.

'Pwy 4G? I beth gwed? Doji y'n nhw, ddim 4G, os ti'n gofyn i fi! 'Se nhw lower well off yn hala arian ar lanw'r *potholes* 'ma.' Cytunodd y tri arall drwy ryw fwmblan aneglur.

'O'dd y lloi 'co shw'od yn meddwl bo' fi 'di mynd

â nhw i'r ffair, yr holl bownso a swyrfo deimlon nhw ar y ffor' draw 'ma bore 'ma.' Roedd y rhannu baich di-werth yn rhyw foddhad diniwed.

'*Nothing new*, 'de, y siape ti, Gwynfor, yn dreifo! Fi'n dowto bod y lloi 'di gweld unrhyw wahaniaeth!'

'O, iysu, Islwyn! Ti'n un pert i siarad. Ti'n dreifo ffor' hyn fel 'set ti'n berchen yr hewl, 'chan!' Gwenodd ei lygaid, 'Ond 'na 'ny, 'se tractor *23 plate brand new* 'da fi, 'sen i 'run man â ti.'

'O, cer wir! Gallet ti ga'l un yn iawn, ma digon o arian 'da ti, rhy dynn i gachu wyt ti!' heriodd Islwyn. 'Peth gore brynes i o'dd honna, mae'n edrych yn bert, ma' *power* yr yffarn ynddi, a dyw hi ddim yn pregethu am *parking fines!*'

Prysurodd Mair i baratoi'r paneidiau a gosod y cwpanau *polystyrene* un ar ôl y llall ar y cownter. Roedd ei phersawr rhad yn gryfach hyd yn oed na'r caffîn.

'Dau de a dau goffi?' torrodd ar eu traws yn boleit â gwên lydan ar ei hwyneb. 'Bydd eich rôls chi ddim yn hir nawr,' ychwanegodd yn serchog a'r trwch o Elnett yn gweithio'i wyrthiau ar ei gwallt.

'Dim problem, bach,' diolchodd Gwynfor a'i ddwylo'n fochedd o frwnt wrth gydio yn y *polystyrene* gwyn. Trodd Mair i wynebu'r ffriwr. Roedd ei hwyneb mor binc â'r bacwn a'i stumog wedi'i swyno â'r seboni.

Erbyn hyn, roedd Aled Meini Gwyn wedi ymuno

â'r Cwac Pac. Roedd yn ifancach o lawer na'r gweddill ond y caledwch wedi cydio yn ei wyneb yn yr un modd.

'Shw' wyt ti, Aled?' cyfarchodd Huw ei gymydog.

'Odw. Gwd.'

'Shwt a'th hi 'da chi w'thnos d'wetha', 'de? *All clear*?' Roedd Huw eisoes wedi clywed y newyddion, a'i basio ymlaen.

'Fifty-two. Gone. Shot dead.' Llyncodd y pedwar eu te berwedig. Doedd dim ffrils wrth y ffeithiau.

'Pam y'n ni'n bothran, eh? Pam y'n ni'n blydi bothran.' Estynnodd Aled am ei baned oddi ar y cownter. Gwasgodd y cwdyn te a'i daflu i ben y domen ddiflas ar y bwrdd plastig. Parhaodd ei gwestiwn yn agored.

'Ti'n 'lew bo' ti 'ma heddi,' mentrodd un o'r pedwar i dorri'r düwch.

''Sdim dewis 'da fi, Keith. Ma'r crwt 'co'n torri bogel isie ffarmo. Heblaw amdano fe, 'sen i'n gwerthu'r ffycin lot fory nesa.' Edrychodd y pedwar ar y crwt ifanc oedd yn edmygu pic-yp Mitsubishi newydd un o arwerthwyr Nock Deighton. '*Dead money*, dim byd arall,' ychwanegodd, a stêm y te yn corddi o'r cwpan.

Trodd y sgwrs ymhen dim i drafod peilonau Dyffryn Tywi cyn mynd ymlaen ymhellach i drafod rhyw hanner stori a glywodd Islwyn ym mart Llandeilo wythnos diwethaf.

'Cwmni 'sha Lloegr y'n nhw glei, prynu ffermydd

rownd ffor' hyn, bwrw nhw lawr i ddim a phlannu rhyw goed gwyllt ambyti'r lle, achos ma pobl y wlad 'ma rili'n mynd i fyw off cwpwl o ddail ond y'n nhw ... Ond p'idwch â gweud taw fi sy'n gweud achos falle bo' fi'n *wrong* cofiwch, falle bo' fi'n *totally wrong*, a fi'n gobeitho bo' fi. 'Na beth fydde hen ofid heb isie.'

"Sdim *hope in hell* 'da ni i ymladd y cwmnïe mowr 'ma, o's e?' meddai Keith gan ysgwyd ei ben yn siomedig. 'Ma nhw'n dwgyd ein tir ni, a hynny ar y slei. Mater o amser fydd hi, bois. Ni fydd nesa'. 'So nhw'n becso dam!'

Roedd golwg ddigalon ar Islwyn a theimlodd Mair yr ysfa i gydio'n dynn amdano a'i gysuro. Ond fyddai hi byth yn mentro gwneud hynny. Roedd ei chalon yn y lle iawn ond roedd ei hyder yn gaeth i'r fan. Yn hytrach, gosododd y baps brecwast ar y cownter yn daclus, gydag un Islwyn yn gyntaf, fel yr arfer.

'Nawr 'te, pwy o'dd â bacwn a wy?' Roedd hi'n cofio'n iawn. Camodd Islwyn a Keith ymlaen gan dwrio fel moch daear i berfeddion eu pocedi am arian mân.

Sylwodd Mair mor drwsiadus roedd Islwyn yn edrych. Roedd ei grys siec wedi ei dwcio'n dynn tu fewn i'w jîns a'i fola'n gefen iddo, yn cwato'i felt. Roedd graen da arno, meddyliodd. Astudiodd yn fanylach. Ar ei frest lydan, roedd cwrls bach gwyn, a rheiny'n dawnsio'n yr awel lle'r oedd botwm agored.

Edmygodd. Roedden nhw'n edrych mor feddal i'w cyffwrdd ...

''Na ni. *Two-twenty* yr un fan 'na i chi wrthon ni 'de, bach.' Sobreiddiodd Mair a thynnu'r arian oddi ar y cownter i'r bocs bach Stork oddi tano.

'Nefi bananas, ma gwd baps 'da chi w'thnos 'ma 'to, Mair fach,' mwmblodd Islwyn a'r melynwy'n morio i lawr blewiach ei ên. Cochodd Mair a theimlodd yn ddiniwed fel croten.

'Gei 'di ddim gwell na baps hon, tyl,' cnodd Keith a'i geg yn agored i gyd cyn taflu winc fach ddrygionus at Mair. ''Drych ar drwch y bacwn 'na. Dim hen sothach yw hwn, 'llai 'weud 'thot ti. Un dda yw hon! Ond iysu ... ' trodd at Mair, 'gofalwch bo' chi ddim yn gweud 'tho Megan bo' fi 'di bod yn sgwlcan cyn cino, bydd hi off 'da'i. Bydd hi 'di bod yn slafo trw'r bore, 'sdim isie gofyn, yn paratoi rhyw dato a grefi ryfedda'.'

Chwerthin wnaeth Mair, yn rhy uchel ac yn rhy hir. Roedd y dynion yn ei hadnabod yn well na hynny.

Daliodd lygad Islwyn y tro hwn, a thaerodd iddo yntau edrych yn ôl arni â golwg fodlon ar ei wyneb bochgoch.

Estynnodd weddill y baps brecwast draw at Huw a Gwynfor. Roedd y ddau yn lapio'u bysedd o fewn eiliadau, a'r baw dan eu hewinedd wedi sticio fel gofid. Syllodd Mair. Câi bleser o weld y dynion yn mwynhau ei bwyd. Dilynodd ei llygaid amlinelliad corff Gwynfor o'i gorun i'w sawdl. Twll a staen mawr ar ei siaced, gwellt ar ei drowsus a'i welingtyns yn ddom da o'r top i'r gwaelod. Un digon brwnt oedd Gwynfor, meddyliodd, a synnai fod Sulwen wedi ei adael allan yn edrych mor anniben. Y peth lleia fyddai hi wedi ei wneud oedd sicrhau bod y dillad yn lân, hyd yn oed os oedden nhw'n ddi-raen, meddyliodd. Yna cofiodd am eiriau ei mam 'slawer dydd, 'Cofia di, Mair fach, "Where there's shit, there's money."' Deallodd y drefn.

A hithau newydd droi'n bum deg, roedd gan Mair fwy nag un rheswm i wylio ac edmygu bois y mart. Setlo i lawr. Priodi. Gosod gwreiddiau newydd. Roedd ei chloc yn tician yn gyflym, fel roedd ei thad yn hoffi'i hatgoffa. A doedd y gwaith ffrio, gweini a phlesio ddim yn hawdd ar ei phen ei hun. Ond dyma oedd ei bywyd, ei hafan, ei chragen. Fyddai hi byth yn troi'i chefn ar y fan. A ta beth, doedd hi'n neb tu hwnt i'r fan – yn anweledig i'r byd – ac roedd meddwl am gyfarfod un o'i 'chwsmeriaid' y tu hwnt i ffrâm yr hatsh yn ei dychryn ... Roedd yn rhaid i bethau ddigwydd yn y fan a'r lle neu ddim o gwbl. Fel 'na roedd hi wedi bod erioed.

Canodd y gloch ac aeth y mwyafrif i bwyso'u tine yn erbyn y clwydi. Fel byddin o *khaki green*, roedd y ffermwyr yn barod i ymladd am y pris gorau. Gorffwys yn erbyn y cownter wnaeth Mair, a'i hwyneb yn sgleinio o saim. Sychodd ei thalcen gyda chefn ei llaw, a'r arwerthu yn ei anterth yn y sied gyferbyn.

'Hundred-pounds, hundred-pounds, hundred-pounds, hundred-pounds, thanciw, one-ten, 'de, anybody?' Gwrandawodd yn astud ar yr arwerthwr. 'Cant a deg, cant a deg, jolch yn fowr, one-twenty, 'de, c'mon bois bach, let's have it, one-twenty, one-twenty ...' Mwynhaodd rythm ei lais, y cyflymu ac arafu, y cyfieithu a'r cocsio.

'One-twenty, 'de, o's pris gwell i ga'l, gwedwch? Going once 'de, going twice ...'

Gwyliodd ei freichiau fel melin wynt yn chwifio o un man i'r llall a'i ysgwyddau'n edrych yn llydan yn ei siaced frethyn, safonol. Sylwodd ar ei goesau. Roedden nhw fel postion pren, meddyliodd, yn fawr ac yn gadarn ar y platfform. Edmygodd. Roedd hi wedi sylwi ar gryfder hwn cyn heddiw.

'Sold to Trefor Williams, Alltyblaca. Thanciw fowr, Trefor, neis i weld chi'n rhoi dwylo yn eich pocedi heddi.' Bwrodd y morthwyl yn erbyn yr iet a'i fodrwy'n adlewyrchu yn erbyn y metel. ''Na ddiwedd ar hwnna, 'de. That's the end of that. Mla'n at y *barrens* nawr, 'te, on to the barrens ...'

'Excuse me?' Roedd Mair wedi ymgolli'n llwyr yn y gwerthu. 'Excuse me ... Hello?'

Chwifiodd y dyn dieithr ei ddwylo o flaen ei lygaid, cyn iddi sylwi ar ei bresenoldeb. Cododd yn ddisymwyth.

'O, bois bach! Sori, maddeuwch i fi!' Yn ffwdanllyd o ffyslyd aeth ati i roi traed mewn tir. 'Beth licech chi?' Pwyntiodd y dyn at rôl gig eidion ar y fwydlen a chwerthin yn garedig. 'Dim problem.'

Aeth Mair i ailgydio yn y ffrio, y saim yn cynhyrfu ar y *stainless steel* unwaith eto. Rhoddodd ei llaw i gyffwrdd â'i gwallt. Roedd pob blewyn dal yn ei le. Anadlodd.

'Chi moyn winwns?' Gwyrodd ei phen i fwrw golwg ar ei chyfaill newydd. Roedd hwnnw a'i ben yn ei ffôn. Triodd eto i ddal ei sylw. 'Winwns?' yn uwch y tro hwn wrth i'r byrgyr ffrio'n swnllyd.

'Sorry?'

'A licech chi winwns?' Trodd Mair yn ôl i wynebu'r cefn yn sydyn er mwyn sychu'r chwys oedd yn diferu lawr ei thalcen. Fflipiodd y byrgyr yr un pryd. Doedd yr *hot flushes* 'ma'n gwneud dim ffafre â hi.

'Sorry, love. I apologise, I don't speak Welsh.'

Tasgodd y saim ar ei dwylo tew a hwnnw'n llosgi fel dail poethion yn erbyn ei chroen.

'Onions, is it? Is that what you asked?' Nodiodd Mair heb droi i'w wynebu. Doedd hi ddim am ddatgelu'r gwendid yn ei llais. 'Ah! Yes please then, love. Lovely!'

Gosododd y winwns yn y badell heb godi ei phen.

'Lovely smell coming from that burger. I took a fancy on my way in this morning. Nothing beats a bit of Welsh meat, ey?' Roedd ei siarad gwag yn wahanol iawn i siarad bras y gweddill. 'My first time 'ere, see.' Doedd dim angen iddo esbonio, roedd hi'n gwybod hynny'n iawn. 'From London, originally. My company has just invested in farming land here to offset carbon emissions, see. Great scheme. Planting trees, taking climate change seriously and all that. Everything is hush-hush at the moment, but I just thought I'd come down to the area to ...' Arhosodd am eiliad, i chwilio am y geiriau cywir, 'to plant the seed before the work starts ... Pardon the pun.' Chwarddodd ar ei sylw ei hun gan ychwanegu'n dawel, 'I've heard farmers around here can be a bit of a tough crowd. What 'ya say? I'm sure you get all sorts here ...'

Llyncodd Mair ei phoer. Gallai deimlo'r chwys yn diferu rhwng ei bronnau.

'Tw-pownd-ffiffti, plis,' meddai gan anwybyddu ei gwestiwn blaenorol. A phan welodd y llanc o Lundain yn estyn ei gerdyn o'i waled ledr, ychwanegodd yn gyflym, 'Cash only.'

Nodiodd y Sais cyn crafu tair punt o'i waled.

'It's your lucky day,' meddai. Doedd Mair ddim yn teimlo lwc; ddim y lwc byddai'n ei deimlo wrth gyfarfod â rhywun newydd fel arfer, beth bynnag. 'Don't usually carry cash, see. A bit old fashioned really, isn't it ...' Dim ateb. 'Okay, well, lovely stuff. ' Edrychodd i fyw ei llygaid. 'Keep the change, darling. See you soon.'

Taflodd Mair y tair punt i'r bocs Stork a gosod hanner can ceiniog o newid ym mhoced ei ffedog. Byddai'r llyfrau ddim yn balansio fel arall. Yna sylwodd fod rhywbeth arall wedi ei adael ar y cownter. Cerdyn bach proffesiynol iawn yr olwg, yr un mor broffesiynol â'r dyn dieithr oedd newydd ddiflannu. Rhoddodd hwnnw hefyd ym mhoced ei ffedog.

✻   ✻   ✻

Parciodd Mair y fan yn ei lle arferol ar y clos cyn mynd i sychu saim y diwrnod o'r tu mewn iddi. Roedd y sglein wedi hen fynd ar y *stainless steel* a'r fframyn yn dechrau rhydu wedi'r holl dywydd garw. Sgwriodd a sgwriodd, a'i hymgais i loetran yn boenus o amlwg. Casglodd bob briwsionyn y galla'i weld mewn golwg, a llusgo clwtyn ar y cownter ddwywaith os nad tair, cyn gorfod derbyn bod y fan yn sheino fel ffoil. Anadlodd. Tynnodd yr hatsh i lawr am ei ben a throedio'n araf allan o'r fan ac i gyfeiriad y tŷ. Agorodd y drws ...

'Fi 'nôl.' Roedd y tawelwch yn llethol. 'Dadi, fi 'nôl!' gwaeddodd o'r pasej fel y gwnâi bob tro. Dim. Fel arfer. Dilynodd ei thrwyn i'r rŵm ffrynt a'r lloriau pren yn cintachu wrth iddi gamu. Camodd i'r ystafell. 'Fi 'nôl, Dadi.'

Fel brenin ym mhen draw'r rŵm ffrynt, eisteddai yn ei gadair a'r *Cambrian News* yn unig gwmni iddo.

Ffwdanodd, er mawr syndod, i godi ei lygaid dros y papur print, ei gap fflat fel pancosen am ei ben.

'Shwt a'th hi?' gofynnodd.

'Gath Trefor Tyn, Alltyblaca, dipyn o lwc. Gath e fargen ar y lloi,' atebodd cyn holi, 'Dadi, beth yw *carbon emissions*?'

'Crist o'r nef, shwt 'wy fod i w'bod? Ti'n holi'r bachan rong, 'ân!' mwmblodd yn ddiamynedd, cyn craffu'n ôl ar y *Cambrian News*, yr un *Cambrian News* roedd e eisoes wedi ei ddarllen deirgwaith er mwyn cael gwerth am arian. Ond parhau i droi a throi oedd geiriau'r cyfaill dieithr ym mhen Mair, yn dal i'w phoeni, heb sôn am yr edrychiad truenus oedd ar wyneb Islwyn.

Aeth at y llyfr rhifau ffôn oedd ar y ford fach yng nghornel y stafell a chwilio am 'Islwyn Maes Hyfryd'. Roedd hi'n credu ei bod yn cofio'r rhif, er nad oedd hi erioed wedi mentro'i ffonio. Yna tynnodd y cerdyn busnes o'i phoced gyda holl fanylion y Sais arno. Byddai hi byth yn amharu fel arfer, byth yn cario clecs, byth yn corddi. Bodoli roedd Mair a dim byd arall. Roedd hi'n driw i fois y mart, yn ffyddlon iddyn nhw, yn cadw eu cyfrinachau, ond oedd hi am wneud yr un gymwynas i'w chyfaill newydd?

Cipiwyd ei meddyliau ymaith gan gwestiwn oeraidd ei thad.

'Dim lwc heddi 'to, 'de?' Tawelwch. Roedd hi'n

gwybod yn iawn am beth roedd e'n holi. 'Wel?' Cododd ei lais a'i aeliau tywyll yn codi i'r un raddfa.

'G ... ges i ddim cyfle i ... o'dd, o'dd, o'dd neb adda ... O'dd neb, o'dd yn s ... siwto ...'

'Blydi hel, groten!' Taflodd y *Cambrian News* led cae o'i afael gan daro ci tsieina ei mam oddi ar y dreser. 'Beth yffarn ti 'di bod yn 'neud trw' dydd, 'de?'

Rhuthrodd Mair at y tsieina toredig a cheisio casglu'r darnau bob yn un ar ei phengliniau.

'Cenhedlaeth ar ôl cenhedlaeth, canrifoedd o slafo, rhoi dyfodol ar blât i ti ... I beth, gwed? Eh? I beth? I ti ga'l cau'r lle 'ma lawr. Ma well 'da ti, Mair, weld rhyw Sais o bant yn prynu a rhedeg y lle 'ma, o's e?' Caeodd Mair ei llygaid.

'Peidwch, Dadi, plis ...'

Cododd ei lais yn uwch.

'Ffycin *useless*, 'na beth wyt ti Mair, ffycin *useless*. Ma rhaid i ti ffindio dyn er mwyn gallu priodi, ti'n deall 'ny, wyt ti?'

Aeth Mair o'r rŵm ffrynt â'r dagrau'n cronni yn ei llygaid. Doedd hi'n methu dianc yn ddigon clou, heno 'to. Doedd ganddi mo'r nerth i ddadlau y tro hwn a doedd dim pwynt ceisio rhesymu gyda'i thad, dim ers i'w mam farw. Sychodd ei llygaid a geiriau'r Sais fel atsain, yn dal i droi a throi yn ei phen; *Carbon emissions ... Plant the seed ... Everything is hush-hush ...*

Stopiodd. Meddyliodd. Teimlodd nerth, pendantrwydd, teimlodd y cryfder a'r clowt a'r awydd i sefyll lan drosti hi ei hun, dros ei mam, dros ei chyfeillion hoff a chefn gwlad.

Cydiodd yn y ffôn. Gwasgodd y rhifau. Crynodd ei llaw a chlywodd y canu ... Dyma hi. Yn barod i rannu pob cyfrinach, a chamu o'i chell arferol.

Atebwyd y ffôn o'r pen draw.

'Helô ... Islwyn? Mair sy' 'ma ...'

Y GRAIG LWYD

JOHN ROBERTS

'Pwy ddiawl wyt ti? A be uffar ti'n 'neud yn fa'ma?'
Taranodd y llais tra bo'r pastwn o ffon yn curo'r
llawr cerrig a'r drws trwm yn gwichian ei brotest am
iddo gael ei daflu yn agored.

Gollyngodd Catrin y baned oedd yn ei llaw, a
chwalodd y mẁg yn deilchion. Syllodd yn fud ar
y gŵr byrgoes yn nrws y sgubor. Roedd rhychau
dyfnion llethrau'r mynyddoedd wedi'u plethu yn ei
wyneb main, a gwynt deifiol y gaeaf wedi teneuo'r
gwallt cringoch ar ei ben. Rhythai llygaid miniog
tywyll arni.

'Atab! Oes 'na rywun wedi dwyn dy dafod di?'
meddai, gan godi ei ffon a phwyntio ati.

'Na ...' oedd yr ateb llipa a lithrodd dros ei
gwefusau.

'Be ddiawl ti'n 'neud yma, 'ta?'

'Doedd gen i unman i aros ... ac mi weles i'r
sgubor 'ma rai misoedd yn ôl wrth fynd am dro gan
feddwl fod yr adeilad ddim yn eiddo i neb nac yn
cael ei ddefnyddio, felly, mi 'nes i feddwl y gallwn i

gysgu yma am ychydig ddyddiau ...' Llifodd y geiriau crynedig o'i pherfedd.

'Does gen ti'm hawl!' curodd Iwan y llawr eto gyda'i ffon. 'Blydi digwilydd! A 'rhuwal ydi o, nid sgubor. Nid rhyw lefran ifanc wyt ti. Dylsa dynas yn ei hoed a'i hamser wybod yn well. Be wyt ti? Un o'r cerddwyr uffernol 'ma sy'n meddwl mai chi bia popeth, debyg? Dwi ddim isio atab. Rŵan, hel dy betha a hegla hi o'ma cyn i mi dy daflu di o'ma!'

'Plis, does gen i nunlla i fynd ...'

'Dos adra, nen' tad!'

'Does gen i'm cartra.'

'Uffar o ots gen i. Chei di ddim aros fan hyn,' meddai, yn camu tuag ati a chodi ei ffon. 'Rŵan, dos! Neu oes raid i mi dy daflu di allan?'

Erbyn hyn roedd Catrin â'i chefn at y wal garreg a'i thraed yn y cafn bwydo wrth i Iwan ddod yn nes ac yn nes, ei ffon yn troelli yn yr awyr a'r bygythiadau a'r rhegfeydd yn byrlymu o'i geg. Ceisiodd Catrin symud o'i lwybr. Rhoddodd dro chwim i'r chwith a throdd yntau ar frys i'w dilyn. Baglodd ar ymyl y rhigol, a chan fod ei ffon yn chwifio uwch ei ben, doedd ganddo ddim byd i arbed ei hun. Trodd ei figwrn yn galed a chlywyd clec boenus. Gollyngodd Iwan ebwch o boen a syrthio ar ei hyd. Aeth y lle fel y bedd. Syllodd Catrin ar y corff llipa o'i blaen.

''Dach chi'n iawn?' holodd yn betrus.

'Am gwestiwn twp, y bitsh wirion,' meddai gan

geisio codi. Ond rhoddodd ebwch arall o boen wrth geisio rhoi ei bwysau ar ei droed dde.

'Peidiwch â symud.'

'Be wyt ti? Twp a digwilydd? Wrth gwrs na fedra i symud!'

'Dwi'n siŵr i mi glywed clec ... fel asgwrn yn torri. Fasa'n well ffonio ambiwlans?'

'Uffar dân, be sy'n bod arnat ti, ddynas? Fydda i'n iawn, siŵr Dduw. Tynna'r welingtyn 'ma, i mi gael golwg iawn.'

Llusgodd ei hun wysg ei gefn a phwyso ar belen o wair oedd yn y gornel. Safodd hithau, heb fod yn sicr beth i'w wneud.

'Tyn y blydi welingtyn 'ma, yn lle sefyll fel ryw gloman! Ty'd 'laen, chdi sy'n gyfrifol, dyma'r peth lleia' fedri di'i 'neud.'

Plygodd Catrin wrth ei draed a chydiodd yn y welingtyn fudr a'i chodi fymryn.

'Blydi hel! Ara' deg ...' gwaeddodd, a'r boen yn dyfnhau'r crychau dwfn yn ei dalcen.

'Dim ond codi dy droed di wnes i. Dwi'n ffonio am ambiwlans. Mae 'na rwbath 'di torri.'

Bytheiriodd Iwan ati, ond roedd Catrin bellach wedi codi ei ffôn o'i sgrepan wrth y drws ac wedi deialu.

'Ambiwlans, os gwelwch yn dda ... rhywun wedi syrthio ac wedi torri ei goes ... yndi, mae o'n effro ac yn anadlu'n ddidrafferth. Arhoswch am eiliad,' trodd at Iwan, 'lle ydan ni?' holodd.

'Wrth adwy'r Graig Lwyd, ar y ffordd gefn rhwng Llan a Rhyd.'

Ailadroddodd Catrin y cyfan yn ofalus wrth y person ar ben arall y ffôn.

'Faint? Fedrwch chi ddim dod cyn hynny? ... Ond oes 'na ddim rhyw fodd? ... Diolch.' Diffoddodd y ffôn.

'Neb ar gael am ddwy awr, debyg,' meddai Iwan dan ei wynt.

'Neb ar gael am chwech i saith awr, gen i ofn.'

'Blydi hel! Dyna ni – bydd rhaid i ti fynd â fi. Dwi'n cymryd bo' chdi'n dreifio.'

'Yndw ... ond sgen i'm car ...'

'Dos i nôl y Land Rover.'

'Fedra i ddim, siŵr ...'

'Un munud sgen ti nunlla i fynd, munud nesa' fedri di ddim mynd â fi i hosbital. Rŵan, dos i nôl y blydi Land Rover!'

'Lle mae hi?'

'Yn Timbyctw, y gloman. Yn iard y Graig Lwyd, siŵr Dduw, goriad ynddi hi. Rŵan, dos a chymar ofal, dim ond *third party* fydd 'na arni efo chdi'n dreifio.' Craffodd Catrin arno am funud. 'Mae fory'n dŵad, 'sti!' meddai Iwan yn haerllug. Cydiodd hithau yn ei chôt a'i sgrepan ac i ffwrdd â hi i gyfeiriad y ffarm.

Roedd y Graig Lwyd yn dŷ ffarm helaeth wedi ei gysgodi o olwg y ffordd gan graig sylweddol. Oedodd

Catrin am funud pan ddaeth i olwg y tŷ a'r beudai o esgair y graig. Ni ddychmygodd weld adeiladau mor dwt a thaclus. Nid oedd 'run chwynnyn yn tyfu, dim budreddi na theclynnau wedi eu gadael hyd y lle ac roedd pob drws wedi ei baentio'n daclus ddu.

Yng nghanol yr iard, roedd Land Rover Discovery eithaf newydd wedi'i pharcio. Roedd Catrin wedi ofni gweld hen beiriant rhydlyd, ond tybiodd iddi gamfarnu'r gŵr blin yn y 'rhuwal. Gallodd yrru i lawr y ffordd at y sgubor yn ddigon rhwydd, gan barcio mor agos â phosib at y drws. Erbyn hyn, roedd Iwan wedi llusgo'i hun at geg y drws ac yn aros amdani.

'Agor y trwmbal,' meddai'n swta wrth lusgo'i hun at gefn y Land Rover a'r boen wrth wneud hynny'n ei orfodi i gau ei lygaid yn dynn. 'Y bŵt, yr hulpan wirion!' gwaeddodd arni wrth iddi oedi'n hurt wrth ddrws y car. 'Cer i nôl yr hen styllan 'cw,' meddai gan gyfeirio at ryw hen goedyn gerllaw cyn ychwanegu, 'a rho fo i bwyso yn erbyn y bympar.'

Dilynodd ei gyfarwyddiadau.

'Fedra i dy helpu di?' holodd Catrin wrth iddo lusgo'i hun ar hyd yr hen bren i mewn i drwmbal y Land Rover.

'Fawr o iws rŵan, a finna wedi cyrraedd. Rho glep i'r drws a dos â fi i'r hosbital, wir Dduw.'

Tawel oedd y ddau yn ystod hanner awr gyntaf eu taith, gydag Iwan yn gollwng ambell ebwch o boen a Catrin yn canolbwyntio ar yrru mor esmwyth â phosib.

'Wnest ti ddim ateb 'y nghwestiwn i,' brathodd Iwan yn sydyn.

'Pa gwestiwn?'

'Be oeddet ti'n 'neud yn y 'rhuwal 'na?'

'Do, mi 'nes i ateb, ond doeddet ti ddim yn gwrando. Rhy brysur yn 'y melltithio i!'

'Dwi'n dal isio g'neud hynna,' meddai dan ei wynt.

'Dwi'n ddigartre'. Y tipyn gŵr oedd gen i wedi bachu popeth a diflannu. Stori hir.'

'Dwi ddim yn mynd i nunlla.'

Ochneidiodd Catrin yn dawel cyn mynd yn ei blaen.

'Ro'n i'n dysgu yn yr ysgol gynradd yn dre, wedi bod yno ers rhyw dair blynedd, cyflog eitha da, ac yn briod efo fo. Ro'n ni 'di prynu tŷ efo'n gilydd, wsti, y tai mawr newydd 'na sy'n edrych lawr dros yr afon ...'

'Sut faswn i'n gw'bod ryw betha fel 'na dŵad?'

'Dydyn nhw ddim yn dai rhad, ond wedyn roedd o'n ennill pres go fawr, yn gonsyltant i gwmnïau yn Lloegr. Roedd petha'n mynd yn dda a ninna'n ddigon diddan. Wedyn, mi 'nes i golli Mam. Roedd hi mewn oed digon parchus, cofia, tynnu at ei hwyth deg, ac fel unig blentyn, mi 'nes i etifeddu'r tŷ. Dyma lwyddo i werthu hwnnw a bwriadu gwario rhywfaint o'r pres ar wyliau braf, cwtogi hyd y morgais a ballu ... wsti, y pethau mae rhywun yn eu gwneud.'

'Os ti'n deud.'

'Beth bynnag, dyma fo'n deud y basa fo'n gofalu am bopeth. "Gad o i mi," medda fo, "mi wna i edrych ar dy ôl di." Ro'n i'n casáu rhyw hen strach efo petha felly. Y cwbl oedd rhaid i mi ei 'neud, medda fo, oedd arwyddo ambell i bapur i gael pob dim yn swyddogol. Yna, rhyw bnawn Mawrth chwe mis yn ôl, dyma fi'n dod adra o'r ysgol, a doedd na'm sôn amdano fo. Mi fydda'n mynd i ffwrdd am gyfnodau byr efo'i waith weithia, ond yn deud wrtha i bob tro. Soniodd o 'run gair y tro 'ma. Dyma fi'n ei ffonio fo, a chael neges od yn deud bod y rhif ddim yn bodoli bellach.'

Roedd hi'n dechrau tywyllu erbyn hyn.

'Rho'r gola, dwi'm isio damwain arall! Mae'r switsh ar yr ochr yn fan'na.'

'Diolch, hynny'n well. Beth bynnag, roedd o wedi diflannu. 'Nes i ei riportio fo i'r heddlu, ond ges i ddim byd yn ôl.'

'Ella bod o wedi cael damwain neu rwbath?'

'Dyna o'n i'n feddwl ... nes i mi ddechra cael llythyra – llythyra gan y cymdeithasa adeiladu. Ro'dd o 'di codi ail forgais ar y tŷ, ond do'dd o ddim 'di talu dima ar 'run o'r ddau forgais ers chwe mis. Wedyn, ges i lythyr gan y banc yn deud fod cyfnod yr *overdraft* 'di dod i ben ac angen ei glirio.'

'Uffarn dân!'

'Ac i goroni'r cwbl, dyma'r beili yn cyrraedd i

hawlio 'nghar i. Ro'dd o ar les, a hwnnw heb ei dalu ers chwe mis.'

'Ond mi oedd gen ti arian tŷ dy fam?'

'Ro'dd o 'di cael ei facha blewog ar hwnnw hefyd. Do'dd gen i ddim dima, dim ond digon o ddyledion i ddychryn unrhyw un. Mi gollis i bopeth a cholli'n job yn ei sgil o.'

'Rhaid bo' chdi wedi ama' rwbath, yr uffar blin iddo fo!'

'Dwi'n cicio fy hun rŵan, wrth gwrs 'mod i. Felly, dyna pam 'mod i'n dy sgubor di ...'

''Rhuwal.'

''Rhuwal, 'ta! 'Nes i drio'r hostels yn dre ond o'dd gen i ofn am 'y mywyd yno. Dyma fi'n cofio am y 'rhuwal yng nghanol nunlla a dim tŷ ffarm yn agos, a meddwl baswn i'n cael lle i hel fy meddylia a thrio cael trefn ar betha unwaith eto.'

'Ac yn lle hynny, ti 'di cael penci blin sy' 'di torri'i goes!'

Edrychodd Catrin yn y drych a gwenodd. Gwenodd Iwan hefyd.

❋   ❋   ❋

Deuddeg awr fu'r ddau yn yr adran ddamweiniau. Roedd Iwan yn gegrwth wrth iddo gyfri'r cleifion, y meddwon a'r bobl ar ben eu tennyn, ond yn gwneud hynny heb golli ei dymer unwaith, dim ond gollwng ambell ebychiad, hyd nes i'r doctor awgrymu y dylai aros dros nos yn yr ysbyty.

'Be ddiawl ti'n feddwl, aros yn yr hosbital?' Daeth y gwallt cringoch i'r golwg eto.

'Ry'n ni angen cadw golwg ar y droed 'na, gwneud yn siŵr ei bod hi'n iawn ...'

'Yli, washi, mae gen i ffarm angen ei rhedag ac os ti'n meddwl ...'

'Dyma'n union pam ry'n ni angen cadw golwg, neu mi fyddwch chi wedi gwneud niwed parhaol i'ch coes ...'

'Na!' meddai'n bendant. 'Dwi'n mynd adra. Rŵan.'

Ochneidiodd y doctor ifanc.

'O's gennych chi rywun i edrych ar eich hôl chi?'

'Mi wna i,' mentrodd Catrin o'r ochr arall i'r llen las.

'Do's gen i fawr o ddewis ond gadael i chi fynd, felly,' meddai gan agor y llenni a throi at Catrin. 'Os oes unrhyw chwydd sy'n gwneud y droed yn boenus ac anghysurus, rhaid iddo ddod 'nôl yma ar unwaith. O, a fedrith o ddim sefyll arni am tua chwech wythnos ...'

'Efo pwy ti'n siarad, y crinc?' torrodd Iwan ar ei draws. 'Mae'r ddwy glust yn gweithio'n iawn o hyd. A be dwi fod i'w 'neud am chwech wsos? Ista ar 'y nhin?'

'Cewch ddod yn ôl yma mewn pythefnos – daw 'na lythyr am hynny i chi. Reit, baglau gan y nyrs a ...'

Dyma fo'n troi at Catrin eto, cyn dweud yn gadarn, 'fi'n disgwyl i chi ofalu bod o'n ufuddhau?'

'Mi wna i drio 'ngora,' atebodd hithau.

Diflannodd y doctor at ei glaf nesaf.

'Do'dd 'na 'm rhaid i ti 'neud hynna.'

'Wel, o leia mi ga' i do uwch fy mhen ... dwi'n cymryd?'

'Mi fydd yn brawf ar dy amynadd di, beth bynnag!'

Doedd Catrin ddim am gyfaddef wrth Iwan na wyddai'r nesa' peth i ddim am ffarmio. Ac er iddo amau hynny, ni ddywedodd yntau'r un gair, dim ond derbyn ei chynnig yn ddidaro.

Roedd hi'n ddiwedd haf – y silwair wedi ei dorri a'i gasglu a'r defaid yn bur fodlon ar y borfa oedd ar gael, ac nid oedd llu o dasgau yn galw ar y cyw amaethwr. Daeth Catrin i fwynhau cerdded o gwmpas y caeau a mentro ar y mynydd, gan gyfri defaid gorau y gallai. Bu'n hel llus nes bod blaen ei bysedd yn staeniau piws. Casglai lond dwrn o rug i'w roi ar y bwrdd yn y gegin. Eisteddai ar drothwy'r drws yn gadael i arogl y gwyddfid lenwi'r tŷ gyda'r nos tra bod y gwenoliaid yn ymgasglu ar wifrau trydan gerllaw. Roedd y Graig Lwyd yn lapio amdani'n glyd. Byddai'n bwydo'r ci, yn agor ambell giât er mwyn cael porfa ffres i'r ychydig ddyniewyd oedd gan Iwan, a hi oedd yn coginio a chadw'r tŷ yn ddiddos, wrth gwrs.

Dyn taclus oedd Iwan. Deddfol o daclus. Pan gamodd Catrin i'r tŷ gyntaf roedd arogl lafant cryf yn ddigon i'w thagu – hylif glanhau oedd yn gyfrifol, meddai Iwan. Ond yn gymysg â'r lafant roedd arogl papur newydd ac inc. Yn gorffwys yn erbyn pob wal yn y tŷ roedd pentyrrau a phentyrrau o bapurau newydd, rhai wedi melynu gydag amser, eraill yn dal yn ddisglair o wyn. Roedd y cyfan wedi ei glymu'n becynnau o ryw hanner cant, a llinyn bêl wedi ei osod yn daclus o'u cwmpas.

'Deugan mlynadd o bapura,' meddai Iwan gyda balchder, 'yr wythdegau ar y wal acw, y nawdegau fa'ma ...'

'Ond pam cadw nhw?'

'Dwn 'im. Dim awydd eu taflu nhw. Hanas pobl y lle 'ma ydi o.'

'Wyt ti'n mynd yn ôl i'w darllan nhw, 'lly?'

'Weithia. Os dwi isio f'atgoffa'n hun o rwbath.'

'Pawb at y peth y bo.' Ni fu sôn amdanyn nhw wedi hynny, dim ond gwylio'r ddefod o blygu'r papur dyddiol yn ofalus a'i osod ar ben y pentwr diweddaraf bob nos.

* * *

Roedd hi'n ddiwedd pnawn rhyw dair wythnos wedi'r ddamwain pan wibiodd BMW du, sgleiniog i mewn i'r iard. Camodd gŵr ifanc mewn siwt lwyd o sedd y gyrrwr. Cododd fymryn ar odre ei drowsus rhag ei faeddu ac yna troedio ar flaenau ei draed i gyfeiriad y drws. Gwyliodd Catrin y ddawns o ddrws y beudy.

'Dewyrth Iwan?! Sut ydach chi?' gwaeddodd wrth gamu dros drothwy'r tŷ.

Dilynodd Catrin ôl ei droed a gwrando'n astud.

'Rargian fawr, sbïwch pwy sy' 'ma! Y gelan ei hun!' meddai Iwan o'i gadair.

'Sut ma'r droed?'

'Ma 'na dair wsos ers i mi ei thorri hi, y cenna powld.'

'Ie ... sori, dwi 'di bod yn brysur ...'

'Ma'n dda bod Catrin yma felly, yn dydi. Fasa'r defaid 'cw 'di llwgu tasan nhw'n dibynnu arnat ti.'

'Hon ydi'r *fancy lady*, 'lly?' meddai Marc gan graffu ar Catrin a'i hastudio o'i chorun i'w sawdl.

'Dwi ddim yn *fancy lady* i neb,' brathodd Catrin.

'Be sy', Marc? Ofn colli dy etifeddiaeth wyt ti?' meddai Iwan fel ergyd.

'Peidiwch â siarad nonsens, ddim isio i chi 'neud ffŵl ohonoch eich hun ydw i.'

'Rargian, mae mab fy chwaer yn meddwl am hunan-barch ei ewyrth. Madda i mi, mae honna'n dipyn o sioc i ddyn dros ei drigain oed!'

'Ylwch, Yncl Iwan, poeni amdanoch chi ydw i.'

'Be sy'? Wyt ti ofn i mi ei ladd o a dwyn y ffarm?' Roedd Catrin fel ci ag asgwrn.

'Dwi ddim yma i siarad efo ti, ond efo'n ewyrth.'

'Dwyt ti ddim yn cael siarad fel 'na 'fo Catrin, y sbrych!'

'Pam? Ydach chi'n awgrymu 'i bod hi **yn** *fancy lady* i chi?'

'A tasa hi, fasa hynny ddim o dy fusnas di. Hebddi hi, fasa 'na ddim siâp ar y lle 'ma o gwbl.'

'Yncl Iwan, be wyddoch chi amdani? Be fedra i 'neud i'ch cael chi i ...?'

'Be fedri di 'neud?'

'Ia, unrhyw beth.'

'Weli di'r drws 'na? Dos â dy siwt ffansi a dy sgidia sgleiniog yn ôl i'r blydi BMW du 'na, a hegla hi o 'ma!'

'Yncl Iwan ...'

'Dos drwy'r blydi drws 'cw cyn i mi estyn y *twelve bore*, y sliwan ddiawl!'

Ochneidiodd y siwt a chychwyn am y drws. Pwyntiodd at Catrin wrth fynd heibio. 'Fydda i'n cadw llygad arnat ti,' meddai dan ei wynt, 'yn cadw llygad barcud.'

'Dos, yr uffar bach!' bloeddiodd Iwan, a diflannodd Marc drwy'r drws.

Mewn eiliadau, roedd y BMW yn rhuo'i ffordd o olwg y Graig Lwyd.

'Sgen ti *fancy* paned gan y *fancy lady* 'lly?!' mentrodd Catrin.

'Ia, duwcs. Be mae *fancy lady* fod i'w gynnig heblaw hynny, dŵad? Llygadu 'mhres i wyt ti, 'nôl fy nai.'

'Be? Y ffortiwn 'na ti'n guddio yn y cês dan gwely?!'

'Sut y gwyddost ti am hwnnw?! O, diar! Falla bod o'n iawn amdanat ti!'

A chwarddodd y ddau wrth i Catrin wneud paned ac i Iwan blygu ei bapur newydd gyda'r gofal arferol ac ymestyn i'w osod ar ben y pentwr. Eisteddodd y ddau bob ochr i'r grât â mẁg o de cynnes yn nythu yn eu dwylo.

Dros yr wythnosau nesaf clywyd mwy o chwerthin a siarad rhwng muriau'r Graig Lwyd nag a fu ers degawdau. Prin iawn oedd munudau ffrwydrol Iwan, dim ond ambell ebwch gan nad oedd o'n cael cerdded heb ei faglau na dreifio. Roedd yr arogl lafant wedi ildio ei le i nionyn a chig eidion, a'r ci defaid bellach wedi ei gyfyngu i'r portsh. Ar ôl swper un noson estynnodd Iwan a chyffwrdd cefn llaw Catrin gan ddiolch am y bwyd. Gadael ei llaw yno am foment wnaeth Catrin cyn codi a chasglu'r platiau budron, a gwên fach chwareus yn ei llygaid.

'Fedri di fynd heibio côpret fory? Mae'n siŵr bod angen dipyn o fwyd ci, ac mae isio ryw fwyd yn tŷ, debyg,' meddai Iwan, 'dos â'r cerdyn, fel arfer.'

'Mi a' i ben bore, 'nôl dechra pnawn.'

Bore trannoeth ar ôl clirio'r llestri brecwast, gwisgodd Catrin ei chôt, a bron yn ddidaro, rhoddodd gusan ysgafn ar dalcen moel Iwan cyn gwibio am y drws. Dyma droi wedyn a chymryd un cipolwg direidus yn ôl ar ŵr bodlon iawn ei fyd yng nghornel y gegin.

'Wela i di wedyn,' meddai hwnnw.

'Da bo!' meddai hithau gan wibio'n ysgafndroed at y Land Rover. Cyn pen dim, dim ond llwch y ffordd oedd i'w weld lle bu.

Setlodd Iwan i wrando ar y radio tan ganol bore pan fyddai'r post yn cyrraedd. Roedd hi tua un ar ddeg pan lusgodd Ifan y Post ei hun allan o sedd ei fan a throedio linc-di-lonc at y tŷ.

'Oes 'na bobol?'

'Paid â lolian, wir Dduw, Ifan, a tyrd â'r papur 'na i mi.'

'Papur dyddiol i chi, mei lord, a llythyr pwysig iawn yr olwg gan y banc.'

'Be mae o'n ddeud, 'lly?!'

'Doniol iawn. Sut mae'r droed? A ble mae'r forwyn newydd?'

'Yn gwella, diolch. Catrin? Ma'i 'di mynd i dre, siopa dipyn.'

'Dowcs, rhyfadd, faswn i'n taeru i mi weld y Land Rover yn mynd am y Llan. Fy nghamgymeriad i, debyg. Neis dy weld di, gwell fyth cael ffarwelio 'fo ti! Hwyl!'

'Cena!' gwaeddodd Iwan ar ôl cysgod y postman cyn agor ei bapur newydd. Doedd y penawdau ddim gwahanol i'r hyn roedd o wedi eu clywed ar y radio. Ond bu'n darllen y straeon am ryw hanner awr, heb gofio dim am y llythyr pwysig. Rhoddodd y papur ar gornel y bwrdd am funud a chydio yn y llythyr. Ar y chwith iddo, ar fwrdd bach, roedd cyllell agor llythyrau. Holltodd yr amlen yn ofalus. Darllenodd y llythyr. Oedodd. Darllenodd o eto, yn fanylach.

'Be ddiawl?!' ebychodd. Cododd y ffôn yn syth a deialu'r rhif oedd ar y llythyr. Eglurodd ei enw, rhif y cyfri banc ac ateb y cwestiynau arferol am enw bedydd ei fam a maint ei sgidiau.

'Be ddiawl 'di'r llythyr 'ma sy'n deud bod 'y nghyfrifon i ar fin mynd i'r coch? Mae 'na drigain mil yn un cyfri' a phump a hanner yn y llall!'

'Ond rydych chi wedi gwario yn helaeth dros yr wythnosau diwethaf ... ' meddai'r llais plentyn ysgol yr ochr arall i'r ffôn.

'Gwario? Be 'dach chi'n feddwl, gwario?'

'Wel, ddim cweit yn gwario, trosglwyddo.'

'Trosglwyddo be?'

'Arian o'ch cyfri' chi, neu yn hytrach y cyfri' ar y cyd.'

'Ar y cyd?'

'Gyda Catrin Owen.'

'Ers pryd?'

'Arhoswch am eiliad ... rhyw dair wythnos yn ôl.'

'Ond 'nes i ddim ...'

'Mi wnaethoch chi newid y cyfri' bryd hynny, y cyfan wedi ei arwyddo gennych chi. Dyna pryd y sefydlwyd eich bancio ar-lein hefyd. Ers hynny, ry'ch chi wedi trosglwyddo'r arian drwy'r bancio ar-lein, ac yn unol efo'n systemau diogelwch, roedd rhaid cadarnhau'r trosglwyddiadau drwy eich ffôn symudol ...'

'*Hold on* ... does gen i ddim ffôn symudol!'

'Mae yna rif ffôn symudol wedi'i gofrestru efo ni. Mae'r cod cadarnhau yn cael ei anfon fel neges destun ac mi wnaethoch chi gadarnhau fod y trosglwyddiadau'n rhai dilys ... a hynny ar y dyddiadau ...'

'Y gnawes fach!'

Taflodd y ffôn yn erbyn y pentwr papurau gyda'i holl nerth, a malodd honno'n ddarnau mân ar y llawr llechi.

CYFAMOD

LLŶR TITUS

Ar ôl y glaw, tynnodd yr awyr las bobl o'u tai i syllu uwch eu pennau fel tyrchod daear. Dyna oedd y sgwrs o gwmpas y bwrdd cinio ers dyddiau. Y glaw. Ei bod hi'n wlyb o dan draed, bod y gwartheg yn ffagio, nad oedd posib gwneud dim o werth. A thrafod a fyddai angen 'morol am lwch lli ar lwybr y fynwent. Yr un sgwrs yn cael ei chnoi yn yr un modd dros y pistyllau o anger moron, tatws, cabaits neu gwstard, nes ei bod hi, yn y pendraw, yn sdwnsh. Yr un cwestiynau yn cael eu llwyo i'w chlustiau hi.

Diolch byth felly am haul, awyr las a gwynt da. Gwynt sychu, un a godai ddagrau bychain i gonglau'r llygaid. Gwynt a fynnai ei llenwi hi fel hwyl wrth iddi stryffaglu gyda'r fasged olchi at y lein ddillad rhwng y tŷ gwydr a'r garej – ac ymyl ei brat yn codi efo pob hyrddiad. Byddai'r gwynt yn llenwi'r tŷ hefyd, yn llifo'n genlli drwy ffenest fach y gegin ac yn chwythu'r sgwrs o gylch y bwrdd bwyd ymaith fel bag plastig. Byddai'n dod fel brwsh drwy ffenest ben grisiau i'r llofftydd, ac yn gyrru'r hen oglau pils-acrîm a'r gwely aer o dan ddrysau'r llofftydd. Yn hel oglau cotiau pobl ddiarth a'u hanadl stêl 'ddrwg iawn gen i' yn daclus drwy'r drws ffrynt.

O'r diwedd, mae Elin wedi cael golchi. Cynfasau gwely a chadachau yn docyn yn y fasged, a'r rheiny'n rhy wyn i sbio arnyn nhw'n iawn yn yr haul. Y pentwr yn debycach i'r cymylau'n gwibio heibio ochrau'r dyffryn o ran lliw na dim arall. Yn y cwt hwnnw wrth y tŷ mae llwyth arall wrthi'n troi; dillad nos, tronsiau a chrysau yn boddi fel swp o gathod yn y swigod fesul un. Chafodd Elin mo'r cyfle cyn heddiw – y glaw a'r fisitors oedd y drwg. Stripiodd y gwely cyn gynted ag yr aeth O o'r tŷ, a'r Hogiau i lawr grisiau yn ysgwyd llaw a sgwrsio'n isel. Eu lleisiau'n mwmial cacwn. Yna'r hynaf yn holi o waelod y grisiau os oedd rhaid 'gwneud hynna rŵan'. Be wyddan nhw am ddim? Wrth gwrs bod *rhaid*.

Mae ganddi gof – a dyma'r gynfas isa'n cael ei chodi'n gynta' a'i gosod gyda phlyg llafn cyllell ar y lein – am Miss Preis yn yr ysgol yn sôn am gynfas a roddwyd dros Iesu Grist. A bod y gynfas honno – dau beg bob pen ac un yn y canol rŵan – wedi dal siâp a llun Iesu Grist i'r dim. Cofiai fod ganddi lun ohoni ar gerdyn post, a hwnnw'n mynd o law i law o gwmpas y dosbarth. Ac yn wir, roedd wyneb Iesu i'w weld ar y gynfas. Mymryn hyllach na'i wyneb yn y llun ohono'n cario oen yn festri Capel Bethania –

llaw sydyn dros y defnydd i'w sythu rŵan ac ymlaen at y nesa' – ond roedd o yno.

Am y gynfas honno roedd Elin wedi meddwl y bore hwnnw pan aethpwyd ag O o'r tŷ. Er nad oedd y rhith o lun ar gynfas y gwely aer mor amlwg â'r un yn y cerdyn post, roedd ei siâp O'n eglur ynddi – wedi cordeddu'r defnydd gwyn yn grychau i gyd, a'r cotwm lle'r oedd O wedi gorwedd dal rhyw fymryn yn llaith. Mi ddaliwyd rhyw arlliw ohono Fo yno, ôl troed dwytha'i fywyd. Ond byddai'r Daz, y dŵr, y gwynt a'r hetar smwddio'n cael gwared arno reit siŵr.

Mae'r ail gynfas yn ei lle a thro'r casys gobennydd a'r cadachau ydi hi i gael eu pegio ar y lein fel rhes o dyrchod marw. Ac wrth feddwl am y sialc a Miss Preis mae Elin yn meddwl am yr ysgol a chymaint roedd hi'n licio bod yno. Roedd ganddi ei phethau bryd hynny. Pethau ei hun. Pethau difyr nad oedd yn bethau er mwyn pobl eraill. I ble'r aethon nhw, dybad?

Erbyn hyn mae'r fasged yn wag a'r dillad yn symud yn braf ar y lein. Fyddan nhw fawr o dro yn sychu. Mae hi'n ddiwedd Mawrth, adeg dda i sychu. Tir, dillad a dagrau.

Wrth duchan a chodi'r fasged a mynd i'r tŷ at sŵn y cloc a'r tunelli o fara brith ddaeth yn nwylo ymwelwyr, mae Elin yn gweld y tŷ gwydr. Ynddo, ymysg sgerbydau'r planhigion tomatos na chafodd eu clirio llynedd, mae 'na gysgod o'r gorffennol yn sefyll.

Yna, mae'r cysgod yn troi ac yn cyrcydu gan estyn cyllell boced i dorri'r lladron oddi ar y coesau. Mae'n clymu ambell gangen, yn profi gwlybaniaeth y pridd ac yn dal rhai o'r tomatos yng nghledr ei law. Mor dyner ydi O efo nhw. Roedd y tomatos yn lwcus yn hynny o beth. Wfftia – dynes yn ei hoed a'i hamser yn cenfigennu wrth blansan! Be nesa'?

Aiff am y tŷ a gweld car arall wedi tynnu o'i flaen o – bydd rhaid rhoi'r tecell ar y tân. Tu hwnt i'r drws ar ganllaw'r grisiau mae dwy siwt a chôt orau yn hongian fel cyrff. Mae Elin yn trio peidio meddwl am y rheiny.

✵   ✵   ✵

Dyma'r miri drosodd a'r gôt ddu wedi cael brwsh ac yn ei hôl yn y wardrob yn y stafell sbâr nes y daw hi'n amser claddu rhyw ddarn arall o'i bywyd. Pwy fydd nesa', dybad? Golwg ddigon cwla oedd ar Glenys heddiw yn y fynwent, ac mae Gwilym Tir Bach wedi bod yn cwyno, meddan nhw ...

Mae Elin yn newid ac yn picio allan i fforchio seilej i'r gwartheg, er bod yr Hogiau'n dweud wrthi am beidio. Yn ôl i'r gegin wedyn a tharo'r tecell i fynd. Mi yfodd ddigon o de drwy'r pnawn – galwyni 'nôl pob tebyg, ond eto, ni fedar hi feddwl am ddim byd ond paned. Paned, a *sit-down* bach, er iddi ista laweroedd hefyd. Yn y capel, mewn car diarth, yn y lle bwyd codog hwnnw. Wrth i'r tecell godi berw mae hi'n troi'r diwrnod yn ei phen. Pryd aeth pawb mor hen, dybad? Does nunlle gwaeth na mynwent i hagru rhywun, ond roedd y criw yr un oed â hi yno, cyn lleied ag oedd o, yn edrych yn fach i gyd a'u dillad nhw'n llac amdanyn nhw. Rhaid bod golwg arni hithau hefyd.

Bu'r te yn sobor o sâl. Ei syniad hi oedd mynd i'r festri, neu'r neuadd yn y pentra, hyd yn oed – hel criw fel yr hen drefn a gwneud te felly. Byddai wedi bod yn falch o gael bwrw iddi ei hun a mynd â rhai o'r cacennau pobl ddiarth oedd yn dal i lechu mewn cypyrddau fel cerrig beddi efo hi i gael 'madael arnyn nhw. Er, byddai'n oedi cyn rhoi ambell un o'r rhai gafodd hi i'r cŵn. Roedd rhai wedi dweud y byddan nhw'n helpu a hithau wedi diolch iddyn nhw. Ond doedd hynny ddim yn plesio'r Hogiau na'r trefnwr chwaith. Roedd hi'n well o'r hanner ganddyn nhw gael popeth wedi ei wneud yn barod, a'r Leion gystal lle nag unman. Erbyn gweld, doedd o ddim. Dim trefn, ac wedi gorfod gofyn ddwywaith am ddŵr poeth yn y tebot eto. Symol. Teimlai gywilydd.

Mae'r stêm yn codi o big y tecell. Aiff ati i gynhesu'r tebot. Mae Elin wedi gorfod tyrchu yng nghefn rhyw gwpwrdd am un llai, un arian ydi o. O rywle daw'r geiriau 'twls gwraig weddw' i'w phen. Wel, dyma i chi debot gwraig weddw, beth bynnag. Bydd y te wedi bwrw'i ffrwyth toc.

Wedi tollti, aiff i'r parlwr a gweld, gydag ymyl y soffa, y bwrdd bach ac arno docyn o bapurau bro wedi eu hagor ar y dudalen croesair, y *Farmers Guardian*, ac ar ben y rheiny, ei sbectol ddarllen O. Mewn tai ar hyd a lled yr ardal – wrth i bobl hwylio rhyw swper sydyn am iddyn nhw fwyta digon y pnawn hwnnw, er cyn saled oedd y sgons, mae pobl yn sôn sut y bu Elin yn un gre' heddiw, ac wedyn wrth feddwl, sut y bu hi'n un gre' erioed. Tydyn nhw ddim yn gweld hyn. Chriodd hi ddim yng ngŵydd neb, chriodd hi ryw fawr o sioe ar ben ei hun chwaith.

Tan yr eiliad honno.

Rhyfedd mai sbectol sy'n gwneud y tro, nid bedd, nac arch, na chorff, chwaith. A chrio drosto Fo, wrth gwrs, ond hefyd dros rywbeth arall, rhywbeth nad ydi hi, ar hyn o bryd, yn gallu cael gafael iawn arno.

Mae'r te yn oeri'n braf ar y silff ben tân.

✳ ✳ ✳

Mae Elin wedi codi allan a mynd am dro heddiw. Er bod y tywydd wedi dal yn dda, digon cyndyn ydi hi wedi bod o adael y tŷ heblaw i boetsio o gwmpas y lle – codi tail o gwmpas y riwbob, galw heibio'r Hogiau yn y sied, bwydo'r adar. Ond mae mynd am dro yn wahanol. Mae mynd am dro fel arfer yn golygu cerdded i lawr o'r buarth, heibio'r tŷ haf hwnnw sydd ar ei hanner ers blynyddoedd a dros y bont fach, at groesffordd Tŷ Newydd, a throi wedyn gan fynd dros bont arall ac yna heibio'r capel cyn cyrraedd y pentref. Tydi hi ddim wedi bod isio mynd heibio hwnnw. Pam, dybad? mae hi'n rhyw feddwl wrth gau ei chôt amdani a rhoi'r sgarff am ei phen a chychwyn allan. Oes ganddi ofn gweld ei gysgod O wrth y giât, fel bwgan ar gamfa ers talwm? Ofn y bydd O yno'n eistedd ar y tocyn pridd fel cath ar fin cachu, neu y bydd O ar ei bedwar uwchben y clapiau clai yn hau letys rhwng bys a bawd? Mae hi'n wfftio, ac eto ...

Aiff allan a cherdded heibio tociau dail lili wen fach a chennin Pedr sydd bellach yn fwy o bennau hadau na dim arall. Wrth fynd dros y bont mae hi'n oedi o dan y coed sydd heb ddechrau blaguro'n iawn. Mae hi'n cofio'r plant yn taflu brigau ar un pen ac yn mynd ar ras i'w gweld nhw'n dod allan ar yr ochr arall. A chyn hynny, pan oedden nhw'u dau yn canlyn, yn cerdded heibio'r fan yma pan oedd y coed yn eu dail a'r blodau lond y cloddiau, a siarad. Roedd yna fwy o siarad bryd hynny, mae'n rhaid. Oddi yma, dros y cae a'r clawdd eithin, mae crib to'r capel i'w weld. Gallai droi'n ôl, ond mae Elin yn dal ati. Duw, Duw, ddaw pethau ddim fel hyn, ysbryd neu beidio.

Ond tydi O ddim yno. Yr oll sydd i'w weld dros y wal ydi'r blodau sydd wedi dechrau madru ac ambell i dusw diarth gyrhaeddodd ar ôl claddu.

Rhyfedd meddwl fod O yno, dan ddaear.

Aiff yn ei blaen drwy'r pentref a gweld fod tŷ Alun

Groes dal ar werth. Mae o'n lle bach handi, dim ond bod gwaith ailwampio arno a'i fod, wrth gwrs, yn ddiawledig o ddrud am be ydi o.

Daw at y ganolfan, neu'r ysgol fel oedd hi erstalwm, a meddwl am Miss Preis eto. Arhosodd y ddwy yn ffrindiau wedi iddi adael yr ysgol, neu os nad ffrindiau yn union – gan mai 'Miss Preis' oedd hi i Elin, ac Elin yn 'chi' iddi hithau – yn gyfeillgar. Roedd ambell un, gan gynnwys ei gŵr, yn dweud rhyw bethau digon cas am yr hen Miss Preis weithiau, a byddai hynny'n codi rhyw wayw yn Elin. Dynes digon od oedd hi, yn ôl pob tebyg. Wedi iddi fynd yn hen a gan nad oedd ganddi ŵr na phlant na theulu heblaw am frawd a symudodd i rywle ochrau'r Wirral, byddai Elin ac ambell un arall yn picio heibio o dro i dro.

Roedd hi wrth ei bodd yn y tŷ hwnnw a hynny am ei fod o'n ddistaw ac yn dwt ac yn llawn llyfrau. Heblaw am dwrw cloc chwarter, traed ar y carped a llais tawel Miss Preis, doedd yna ddim twrw dim byd fel arall. Dim brefu neu beiriant, dim gweiddi 'Elin!' neu 'Mam!' neu 'Iŵ-hŵ'. Byddai Miss Preis yn rhoi llyfr iddi bob tro y byddai'n gadael. 'Trïwch hwn tro 'ma, Elin', a phan fyddai hi'n dod yn ôl byddai Miss Preis yn gofyn a oedd y llyfr wedi plesio.

Wrth gwrs, roedd Elin yn gwneud ei gorau i ddarllen, ac yn llwyddo o dro i dro, ond byddai pethau eraill yn galw yn amlach na pheidio – yn olchi, yn fwydo, yn wyna neu'n godi tatws, a'r llyfr weithiau ddim yn symud oddi ar y bwrdd bach wrth y drws ffrynt lle byddai'n ei daro fo ar ôl dod yn ôl. Byddai wedi licio gallu darllen mwy.

Mae'r awel yn meinio ac mi fydd hi'n amser te toc. Byddai'n well iddi siapio hi'n ôl am y tŷ.

✻   ✻   ✻

Fyny'r grisiau mae Elin yn rhoi trefn ar bethau i sŵn y weirles. Mae honno'n mynd yn amlach nag y buodd hi am fod y bobl arni'n gwmpeini gwell na sŵn cloc a rhyw feddyliau. Mae digon o ddefnydd yn rhai o'r crysau a throwsusau, meddyliodd, felly mae hi'n eu casglu i fagiau du ac am anfon un o'r Hogiau efo nhw i'r dre i siop elusen. Elusen gall, fel un ganser neu blant amddifad. Nid rhyw hen fulod neu gathod. Ni chlywai'r cnocio ar y drws.

Mae Elin yn dychryn rhyw fymryn wrth glywed 'helô?' o waelod y grisiau. Tydi hi ddim yn disgwyl clywed neb tan amser te. Mae un o'r Hogiau yn ffensio tra bod y llall wedi sôn am hau llwch, a tydi hi ddim wedi meddwl y daw pobl ddiarth ar ôl claddu chwaith. Ond mae hi'n nabod y llais sy'n gweiddi 'Anti Elin' ar ôl yr 'helô' ac yn gwenu cyn gweiddi ei bod hi i fyny'r grisiau yn y llofft sbâr. Daw Hana, ei nith, i'r stafell efo goriadau'i char yn ei dwylo. Mae hi'n edrych yn smart er bod yna ryw arlliw o flerwch o'i chwmpas hi. Mewn jîns a blows, neu grys ydi o? A'r gwallt byr yn fframio'r wyneb sy'n drybeilig o debyg i chwaer Elin weithiau. Mae Hana yn ei chôt o hyd ond wedi cofio tynnu'i sgidiau. Caiff Elin ei hatgoffa o Miss Preis hefyd, rywsut.

'Mi wnes i ddychryn heb ga'l atab.'

'Pam?'

'Meddwl y'ch bod chi 'di disgyn neu rwbath felly.'

'Taw â dy gyboli!'

'Twtio 'dach chi, Anti Elin?'

'Ia, hen bryd.'

Mae Hana'n oedi pan wêl hi'r crys mewn hanner plyg yn nwylo Elin. Tybed am be mae hi'n feddwl, meddyliodd Elin. Mae rhywbeth ynddi sydd yn wahanol i weddill criw pen yma, rhyw ddarn ohoni ymhell o'r cloddiau eithin a phwdin reis efo croen arno fo. Mae hi'n gofyn,

'Sut ydach chi?' Cwestiwn sydd ar y naill law yn gwestiwn gwirion, braidd, ond ar y llaw arall yn gwestiwn sydd eto heb gael ei holi hyd yn hyn. Dweud pethau oedd pobl pan ddeuen nhw draw: *ddrwg iawn gen i, chwith gen i glywed, dipyn o gnoc i chi, oedd o'n wael am yn hir, wyddwn i ddim ei fod o'n cwyno, hen dro, falla fod yn well iddo fo gael mynd, 'sa fiw i mi gymryd paned* (ond yn gwneud yn ddi-ffael). Dweud pethau neu gynnig pethau, neidio i lenwi bylchau mewn sgyrsiau, rhag bod neb yn gorfod meddwl am ddim mewn tawelwch.

'Dwi'n eitha, diolch.'

Be arall allai hi'i ddweud? Mae hi'n gosod y crys yn y bag. Yn codi un arall. Yn oedi. Yn sigo, fymryn. Mae Hana'n cymryd y crys oddi wrthi gan ddweud, 'Wna i banad i ni.'

Eistedda'r ddwy wrth fwrdd y gegin a Hana'n tapio gewin ar ei mẁg. Wrth y drws mae dau bâr o welingtyns yn edrych yn fwy nag ydyn nhw yn ymyl y sgidiau coch sydd newydd gyrraedd. Does dim yn annifyr am y tawelwch rhwng y ddwy. Er na fyddai'n licio meddwl am y peth ar ei gwaethaf, weithiau byddai Elin yn meddwl y byddai wedi bod yn braf cael merch, a sut beth fyddai hynny. Bu'n lwcus, beth bynnag, fod Hana'n dod draw mor aml yn blentyn, gyda'i chwaer yn byw mor agos. Do, aeth hi'n fwy diarth wrth fynd i'r brifysgol ac wedyn pan aeth i ffwrdd i fyw, ond doedd dim ots am ryw bethau felly cyn gynted ag y byddai hi draw eto. Mae'r ddwy yn fêts. Mae'n dda gan Elin iddi bicio draw fel hyn. Chafodd hi ddim cyfle i'w gweld yn iawn yn y cnebrwng.

Mae Elin yn gwthio'i hun ar draws y bwrdd gan roi hwyth ysgafn gyda blaen ei bysedd i'r blât gyda chacennau cri arni tuag at Hana.

'Byta.'

Estynna Hana am gacen gri arall.

''Dach chi'n byta?'

A dyma'r plât yn dod yn ei ôl ar draws y bwrdd tuag ati.

'Yndw'n Duw.'

Wrth gnoi mae Hana'n rhyw sbio arni fel y bydd hi'n sbio weithiau.

'Ac yn cario bwyd i'r hogia o hyd, beryg?'

'Yndw, debyg iawn.'

Sbio eto wna Hana a gorffen y gacen gri. Cawsai'r ddwy'r sgwrs yma o'r blaen. Bu sbel lle oedd enw Hana'n faw wrth y bwrdd bwyd am iddi dynnu'r Hogiau i'w phen ynghylch y peth yma a'r peth arall, a hynny ar gownt ei modryb yn amlach na pheidio, a throi'r drol wrth wneud. Un o'r unig droeon y medrith Elin gofio iddi godi'i llais ar yr hynaf wedi iddo fo dyfu'n ddyn ydi pan ddywedodd o rywbeth ddigon ffiaidd amser te am ei gyfnither. Mi bwdod o am dridiau wedyn. Cadw ochr Elin oedd Hana yn ei ffordd ei hun a'r Hogiau ddim yn dallt, neu ddim am ddallt hynny. Nid 'busnesu' oedd yr hogan, ond malio. Er nad oedd hi, efallai, yn deall trefn pethau fel oedden nhw yma. Ond dyna ni, unwaith y rhoddodd Hana'r gorau i redeg i ffwrdd oddi wrth yr Hogiau pan oedden nhw'n mynd ar ei hôl hi efo pryfed genwair, roedden nhw wedi rhyw how ddechrau cymryd yn ei herbyn hi.

Cwyd Hana a mynd at y tebot gan roi ei llaw ar ysgwydd Elin i'w hatal rhag codi i wneud ei hun, ond mae hi'n ei dal yno, am ennyd. Daw oglau powdr golchi wrth iddi godi cap y tebot.

'Hen bryd i chi feddwl amdanoch chi'ch hun am tjênj.'

Estynna Hana am y llefrith, a ŵyr Elin ddim be i'w ddweud am dipyn. Yna mae hi'n meddwl peidio ateb a throi'r stori.

'Buwch ydi o, ddim coco nyt, cofia.'

Gwena Hana a rhoi ei thafod rhwng ei dannedd blaen yr un pryd, fel mae hi wedi'i wneud erioed.

'Llefrith ceirch ydi bob dim rŵan. 'Dach chi'n hen ffasiwn, Anti Elin.'

Aiff y ddwy drwadd i'r parlwr. Er ei bod hi'n fis Ebrill mae hi'n oer a phwt o dân yn mynd yn y grât.

'Dwi'n aros heno 'ma, fedra'i ddŵad draw fory eto. Be 'sa chi'n licio'i 'neud?'

'O, ma rhaid mi 'neud negas, ma isio ...'

Mae Hana'n wfftio o'r soffa.

'Ddim be sy' rhaid, ddim be sy' isio ond be 'dach *chi* isio wnes i ofyn.'

Ac mae Elin yn meddwl.

✲　✲　✲

Mae'r ddwy yn picio i'r dre, ac er bod Elin yn mynnu cael gwneud neges mae hi hefyd yn meddwl y byddai mynd am tjips a phicio i siop lyfrau'n beth braf. Ac mae o. Mae hi'n braf cael mwydro efo Hana hefyd a gweld ambell un yn y dre. Cyfamod.

Mae Elin yn meddwl am y gair hwnnw ar ôl i

Hana'i gollwng adref. Mae tocyn o lestri yn y sinc a'r Hogiau wedi ffarwelio ar ôl swper. Mi fydd yn dywyll toc. I'w tai eu hunain maen nhw wedi mynd ill dau, er bydd un yn ôl yn y sied efo'r defaid ymhen dim. Tai sydd, am y gwyddai Elin, heb geginau ynddyn nhw na pheiriannau golchi dillad chwaith. Mae Elin ar ei phen ei hun, a pheth rhyfedd iawn ydi hynny, erbyn meddwl. Dim pobl yn mynd a dŵad, dim nyrsys, dim cwmpeini o fath yn y byd.

Aiff i eistedd ar y soffa ac edrych ar ei gadair O. Mae 'na wendid, mae 'na wacter y tu mewn a ŵyr hi ddim be i wneud efo fo. Rhyw gloffni na fedrith hi gael gafael arno'n iawn. Un cyfarwydd ond eto'n wahanol hefyd. Mae hi wedi dal ei hun yn crwydro'r tŷ yn meddwl be i'w wneud, yn teimlo weithiau y gallai hi fynd yn ôl at bethau fel yr oedden nhw, tasa hi'n gallu ffeindio rhyw ffordd cyn callio.

Ar y ddresel mae lluniau. Llun priodas ydi'r cyntaf i ddal ei llygaid. Doedd yr un o'r ddau yn nabod ei gilydd yn iawn y diwrnod hwnnw, a ddim yn deall pwysau na miniogrwydd y geiriau adroddwyd yn y capel. Mae oes yn amser hir iawn i dyngu llw. Edrycha ar ei dwylo. Cyfamod. Mi wnaeth hi, beth bynnag, ei gorau glas. Roedd ei dwylo'n dyst i hynny. Mae'n bosib iddi wneud mwy na'i siâr.

Mae'r machlud haul yn dal cornel llun arall, un o'i mam a'i nain ar ochr honno o'r teulu – y ddwy yn edrych braidd yn stowt. Rargian, mi weithiodd y ddwy. Mi weithiodd Elin hefyd; bron na fedrith hi weld y tomennydd o waith yn agor o'i chwmpas yr eiliad honno, yn fynyddoedd rhwng waliau. A rhwng y mynyddoedd hynny, ar goll bron yn torchi llewys, yn bwrw iddi'n ddygn, mae mamau a merched, pob un yng nghysgod y llall, a'r gwaith a'r baich yn syrffedus o debyg, ond mae'r gwytnwch yr un fath hefyd.

Mae'r weledigaeth yn diflannu, os bu hi yno erioed. Lol wirion. Ond falla nad oedd Hana mor bell â hynny o'i lle, chwaith. Mae hi'n cofio am y llestri. Does dim *rhaid* eu gwneud nhw rŵan. Does dim rhaid gwneud llawer iawn o bethau a fu fel deddf tan yn gymharol ddiweddar. Golchi a sychu'r llestri'n syth, bod yn ddistaw pan mae'r rhagolygon tywydd ar y teledu, cario dwy banad a dwy fisgeden draw i'r parlwr, neu i fyny'r grisiau'n ddiweddarach, erbyn hanner awr wedi wyth a chodi erbyn chwech. Does dim rhaid, eto i gyd mae rhywun yn cadw at y drefn arferol.

Ond heno mae hi'n wyth o'r gloch, a phaned yn ei llaw ac mi gaiff y llestri aros. Mae 'na lyfr ar y bwrdd bach wrth y drws cefn. Mae hi'n codi i'w nôl.